Lucia Bonato

À l'heure actuelle

Dossiers de
civilisation française

NOUVELLE
ÉDITION

D1221889

© 2000 Cideb Editrice, Gênes – 1ère édition
© 2003 Cideb Editrice, Gênes – 2ème édition

Rédaction : Cristina Spano, Domitille Hatuel
Conception graphique : Nadia Maestri
Mise en page : Maura Santini

Mars 2003

5   4   3   2

Pour toute suggestion ou information la rédaction peut être contactée à l'adresse suivante :

redaction@cideb.it
www.cideb.it

ISBN 88-530-0045-7   Livre
ISBN 88-530-0046-5   Livre + CD

Imprimé en Italie
par Stige, Turin

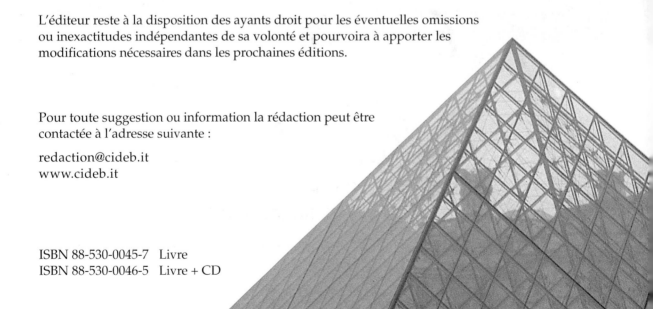

TABLE DES MATIÈRES

Ce symbole 🎧 0 indique les textes enregistrés pour les exercices de compréhension orale et le numéro de la piste.

1 La France hier et aujourd'hui

L'HEXAGONE...

On désigne souvent ainsi la France. Sa silhouette rappelle en effet la figure géométrique à six côtés : trois côtés maritimes (Canal de la Manche et mer du Nord, mer Méditerranée, océan Atlantique) et trois terrestres (Belgique, Luxembourg / Allemagne, Suisse, Italie / Espagne).

Si vous tracez une ligne imaginaire allant du nord-est au sud-ouest, vous trouverez les montagnes (Alpes, Jura, Vosges, Massif Central, Pyrénées) à l'est de cette ligne et les grandes plaines (Bassin Parisien, Bassin Aquitain) à l'ouest.

La France s'étend sur un territoire de 551 600 km². C'est le pays le plus vaste en Europe, après la Russie. Elle compte 60 millions d'habitants. Paris, sa capitale, est parmi les villes les plus animées et les plus visitées.

Ses musées, son architecture, sa richesse culturelle attirent des touristes du monde entier.

La France a une seule grande île, la Corse ; elle partage avec l'Italie le massif le plus élevé d'Europe, le Mont-Blanc (4 810 m). Ses grands fleuves sont la Seine, la Garonne, le Rhône, la Loire, qui est aussi son fleuve le plus long (1 080 km), et le Rhin qui forme la frontière entre l'Allemagne et la France.

Elle est membre de l'Union Européenne et elle adhère à la zone de l'union monétaire. Depuis le 18 février 2002, sa devise est l'euro.

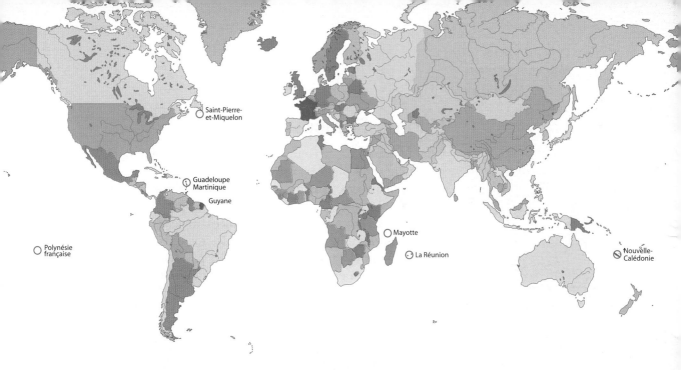

La France a un Président de la République élu pour cinq ans et rééligible une fois. Du point de vue administratif, elle est divisée en 22 régions, 96 départements et elle compte 36 851 communes.

Outre ses départements, la France compte 4 DOM (Départements d'outre-mer) qui sont la Martinique, la Guadeloupe, la Guyane, la Réunion, 3 TOM (Territoires d'outre-mer) c'est-à-dire la Polynésie française, les Terres Australes et Antarctiques, Wallis et Futuna et deux Collectivités Territoriales (Mayotte et Saint-Pierre-et-Miquelon). La Nouvelle-Calédonie dispose d'un statut spécial.

[Lire et comprendre]

Remplissez la grille puis comparez la carte d'identité de la France à celle de votre pays.

	La France	Votre pays
capitale		
superficie		
population totale		
devise		
langue		
nombre de régions		
nombre de départements		
nombre de communes		
l'île la plus grande		
le fleuve le plus long		
la montagne la plus élevée		

...SES PAYSAGES

L'Île-de-France

La Sainte-Chapelle.

L'Île-de-France est le cœur battant du pays, dominé par Paris, une métropole tentaculaire et vorace. L'agglomération parisienne, formée par la capitale avec sa petite et grande couronne de banlieues, compte environ dix millions d'habitants. Les terres qui l'entourent sont des plateaux calcaires et des plaines ondulées, traversés par la Seine et la Marne ; leur fertilité a fait la richesse des rois de France. Tout autour, on peut visiter et admirer les forêts où les parisiens vont se promener, les châteaux somptueux, les villages adorables immortalisés par les peintres, les abbayes anciennes et les églises qui défient les siècles, et enfin des parcs de loisirs pour grands et petits.

Les environs de Rabais, en Île-de-France.

Paris

L'histoire de Paris prend son origine sur l'Île de la Cité où s'installe la tribu celte des Parisii ; la ville, qui s'appelait alors Lutèce, prendra plus tard le nom de ses premiers habitants. Facile à défendre, cette île en forme de bateau abrite le pouvoir temporel, représenté par le Palais de Justice, et le pouvoir religieux, représenté par la cathédrale gothique de Notre-Dame de Paris (à droite), l'un des monuments les plus visités par les touristes. L'autre joyau de l'île est la Sainte-Chapelle que Louis IX fit construire au XIIIe siècle pour abriter la couronne d'épines du Christ.

Les sièges du pouvoir

Le Palais Bourbon, en bord de Seine, siège de l'Assemblée Nationale.

Le Palais du Luxembourg, à l'extrémité du jardin homonyme, siège du Sénat.

Le Palais de l'Élysée, résidence du Président de la République, sur la célèbre avenue qui porte le même nom.

Les incontournables

Le **bateau-mouche**, pour se promener sur la Seine à toute heure de la journée. La promenade dure environ une heure et il est possible aussi de choisir le déjeuner ou dîner-croisière. Les bateaux les plus grands peuvent transporter jusqu'à 600 passagers.

La **Tour Eiffel**, la « dame de fer », construite pour l'Exposition universelle de 1889 qui célébrait les cent ans de la Révolution Française. C'est le symbole le plus connu de Paris et de la France. On peut monter en ascenseur jusqu'au troisième étage (274 m).

L'**Arc de Triomphe**, voulu par Napoléon pour célébrer les victoires de l'Empire. Bonaparte pose la première pierre en 1806 mais les travaux ne se terminent qu'en 1836. Sous l'arche centrale se trouve le tombeau du Soldat inconnu ; la flamme du Souvenir est ranimée tous les soirs.

Les visites amusantes

Le Théâtre de l'Opéra.

La Cité des Sciences et de l'Industrie de la Villette : un lieu d'exposition qui propose une approche ludique des sciences.

Le parc d'attraction Disneyland Resort à Marne-la-Vallée, aux portes de Paris. Pour le bonheur des grands et des petits, on peut y passer des journées entières mais c'est... très américain !

Le musée Grévin, avec la reproduction en cire de personnages célèbres.

Théâtres, cafés, discothèques, à Paris il n'y a vraiment que l'embarras du choix !

Le quartier de la Défense

La construction de ce quartier d'affaires à la périphérie de Paris commence en 1957. Sur une plate-forme piétonnière, se dressent les tours qui abritent les sièges de sociétés du monde entier où travaillent plus de 30 000 personnes. Depuis 1989, la Grande Arche de la Fraternité domine le quartier.

Les châteaux

Le **château de Versailles**, au sud-ouest de Paris, est fait à l'image de la grandeur qui entourait Louis XIV, le Roi-Soleil. Toute la cour vivait dans cet immense palais qui pouvait accueillir 20 000 personnes. Les rois y ont habité jusqu'à la Révolution.

Les jardins géométriques, « à la française », et les plans d'eau sont le chef-d'œuvre de l'architecte Le Nôtre, « jardinier » du roi.

Le **château de Fontainebleau** était une ancienne forteresse médiévale où les rois venaient chasser depuis le XIIe siècle. François Ier le transforme selon le style de la Renaissance italienne. Les modifications apportées par les rois et même par Napoléon en ont fait une superbe résidence.

Le **château de Vaux-le-Vicomte**

Nicolas Fouquet, surintendant des Finances de Louis XIV et personnage le plus riche de son époque, fait construire sa résidence en pleine campagne au sud de Paris. Le palais est tellement luxueux et somptueux qu'il fait ombrage aux résidences royales. Lorsque Fouquet tombe en disgrâce, le Roi-Soleil ne s'oppose pas à son arrestation.

[Lire et comprendre]

1 Complétez les phrases suivantes.

1. La région parisienne s'appelle............... .
2. Les premiers habitants de Lutèce sont ....
3. .... compte dix millions d'habitants.
4. La richesse des rois de France venait ....
5. Le Palais de Justice représente ....
6. Le plus haut pouvoir de la République a son siège au ....
7. Le parc Disneyland se trouve ....
8. Le tombeau du Soldat inconnu se trouve ....
9. Dans le quartier de la Défense se dressent ....
10. Le Château de Vaux-le-Vicomte était la résidence de ....

2 Trouvez la réponse.

1. Vous êtes passionnés de sciences, qu'est-ce que vous allez visiter ?
2. Vous voulez voir le panorama de la ville ; quel est le point de vue idéal ?
3. Vous souhaitez voir le lieu où se réunissent les députés ; quel palais devez-vous visiter ?
4. Le gothique est votre style préféré ; quels chefs-d'œuvre vous propose Paris ?
5. Pour aménager votre jardin « à la française », où allez-vous chercher l'inspiration ?
6. Où pouvez-vous admirer la reproduction fidèle de personnages célèbres ?

Le Nord, l'Est, l'Ouest

Le Nord est occupé par la région plate, verte et humide de la Flandre, sillonnée par les canaux et semée de moulins à vent. Ces terres ont été le champ de bataille de la Première Guerre mondiale ; de vastes cimetières de croix blanches ou des étendues de coquelicots commémorent les massacres de milliers de jeunes soldats. Aujourd'hui la région est dynamique et moderne, tournée vers l'Europe, ouverte sur l'Angleterre, la Belgique, les Pays-Bas. Sur la côte, les plages de dunes blanches battues par les vents alternent avec les ports de pêche et les sites industriels. Lille est la capitale de la région ; Amiens offre aux visiteurs la plus grande cathédrale gothique, miraculeusement épargnée par les deux guerres mondiales.

En allant vers l'est, on traverse la riche région viticole de la Champagne. Depuis des siècles c'est ici que l'on produit « le vin des rois » qui a rendu célèbre dans le monde le nom de la région. Les rois de France venaient se faire sacrer dans la cathédrale de Reims et en effet c'est ici que Jeanne d'Arc a escorté le Dauphin Charles pour qu'il devienne roi.

La cathédrale d'Amiens.

Des maisons à colombages.

L'Alsace et la Lorraine sont les deux régions de l'Est qui s'étendent des Vosges à la plaine du Rhin, riches de campagnes verdoyantes, de villes thermales, de souvenirs historiques et de villages pittoresques avec leurs maisons à colombages. Le vin et la bière sont les produits typiques de la région. Strasbourg, ville internationale, est le siège du Parlement européen.

L'Ouest comprend la Normandie, la Bretagne et le Val de Loire. C'est une vaste région qui vit essentiellement de l'agriculture et de la pêche ; seule la Normandie possède des centres industriels. Mais la grande richesse est ici le tourisme qui offre aux visiteurs des sites d'une beauté incomparable : des plages du débarquement des Alliés le 6 juin 1944, aux plages élégantes de la côte normande jusqu'au Mont-Saint-Michel avec sa célèbre abbaye, de la ville corsaire de Saint-Malo aux rochers bretons, des sites mégalithiques aux châteaux de la Loire. Paysages, traditions, culture, architecture sont ici absolument uniques.

Le Mont-Saint-Michel, en Normandie.

[Lire et comprendre]

1. Que peut-on visiter dans le Nord de la France ?
2. Quel souvenir reste-t-il des deux guerres mondiales ?
3. Qu'est-ce qui fait la célébrité des régions de l'Est ?
4. Strasbourg est une ville internationale, pourquoi ?
5. Quelles sont les activités principales des régions de l'Ouest ?
6. Quel est le style pittoresque des anciennes maisons de ces régions ?
7. C'est l'une des plus célèbres abbayes de la chrétienté. Comment s'appelle-t-elle ?
8. Quelle ville a été le point de départ de marins aventureux ?
9. La région de la Loire en offre en abondance aux touristes. De quoi s'agit-il ?
10. Qu'est-ce qui fait la singularité des cathédrales d'Amiens et de Reims ?

[Et vous ?]

– Vous partez en voyage dans ces régions de la France. Si l'histoire vous passionne, qu'est-ce que vous pouvez visiter ? Quelles époques ont laissé des traces importantes ? Si vous préférez la détente, que choisissez-vous ? Pourquoi ?

🎧 2 L'école de cirque de Châlons-en-Champagne

🎧 3 La traversée de la Manche

🎧 4 Les cigognes en Alsace

🎧 5 Les châteaux de la Loire

[À l'écoute]

Écoutez attentivement et remplissez la grille.

Les artistes italiens y ont travaillé.		Il n'y a plus d'animaux.	
Ça dure cinq ans.		Se parcourt en train.	
Vont nicher sur les cheminées.		A survolé la Manche en avion.	
S'y forment les artistes professionnels.		Font connaître à la France la Renaissance italienne.	
Ne demande que trois heures.		Y passent l'hiver les échassiers migrateurs.	
Il n'y a que 36 km.		Il l'a affrontée en 1875.	

Le Centre, le Midi, le Sud-Ouest

Au centre du pays, vers l'est, s'étendent la Bourgogne et la Franche-Comté, deux régions parmi les plus riches sur le plan économique, gastronomique et culturel. C'est aux anciens monastères bénédictins et cisterciens qu'elles doivent le développement de leur architecture et de la viticulture. Plus au sud, le Rhône partage deux régions de montagne : à l'ouest, le Massif Central, peu peuplé, avec ses cratères de volcans éteints et ses montagnes anciennes aux sommets arrondis et verdoyants ; à l'est, la riche et très peuplée vallée du Rhône et les Alpes. Ce sont des régions très dynamiques qui ont su profiter à fond des ressources naturelles et des technologies d'avant-garde : l'agroalimentaire, l'industrie et le tourisme y sont développés. Lyon, la deuxième ville de France, avec ses vestiges romains et son ouverture vers la modernité, est un bel exemple de l'harmonie de ce développement.

À mesure que l'on descend vers le Midi, les champs de tournesols cèdent la place aux plantations de lavande et aux oliviers. Le climat se fait plus doux, chaud et sec en Provence et Côte d'Azur ainsi que sur toute la côte méditerranéenne et en Corse. C'est le paradis des vacanciers : culture, art, gastronomie, baignades, sports d'eau et de montagne, sous un ciel au bleu fixe.

Plusieurs artistes célèbres ont choisi de vivre dans le Midi pour l'incroyable beauté et transparence de ses couleurs.

Le Sud-Ouest, à l'autre extrémité de la France, est le pays du foie gras et des vins de Bordeaux. Malgré sa vocation rurale, les secteurs de pointe, comme l'Aérospatiale à Toulouse, y sont en plein essor. Les visiteurs trouvent ici de quoi satisfaire les intérêts les plus divers : une nature avenante, un rythme de vie agréable, des sites culturels qui vont de la préhistoire (grottes de Lascaux) à la Cité de l'Espace de Toulouse, les vagues de l'océan pour faire du surf à Biarritz et les pistes de ski pour l'hiver dans les Pyrénées.

L'Hôtel-Dieu de Beaune, en Bourgogne.

La grotte de Lascaux.

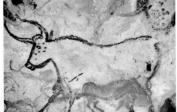

[Lire et comprendre]

1. Quels sports peuvent pratiquer les touristes dans ces régions ?
2. Quelles cultures sont citées dans le texte ?
3. Quelle région est la plus favorisée du point de vue du climat ?
4. Où se trouve le site historique le plus ancien ?
5. Quelles montagnes sont mentionnées dans le texte ?

6 L'Aérospatiale

[À l'écoute]

Écoutez et dites si c'est vrai ou faux.

	V	F
1. La France moderne est un fleuron de l'Aérospatiale.	☐	☐
2. L'ESA est une entreprise française qui travaille à des projets européens.	☐	☐
3. Les fusées sont mises en orbite uniquement par la France.	☐	☐
4. La fusée Ariane est née à Toulouse, à l'inverse du Concorde et de l'Airbus.	☐	☐
5. La base de lancement de l'ESA est aménagée en territoire français.	☐	☐
6. La Cité de l'Espace est un vaste parc didactique qui met l'espace à la portée du public.	☐	☐
7. Des animations et des simulations transforment le visiteur en spationaute.	☐	☐
8. Au planétarium chacun trouvera son horoscope détaillé.	☐	☐

[Des mots pour le dire]

1. Le fleuve qui se jette dans la mer en se divisant en plusieurs bras forme un ....

2. Un lieu plat, inculte, humide, avec des étangs et des marais est une zone ....

3. Une zone où la flore et la faune sont protégées est une ....

4. L'art de combattre les taureaux s'appelle la ....

5. Dans le Midi de la France le taureau n'est pas mis à mort, on se limite à ....

7 Les Bouches du Rhône

8 Le sel

[À l'écoute]

Écoutez et remplissez les vides.

Le sel est un produit .... qui semble aujourd'hui .... mais par le passé il était un .... et .... Il servait à la conservation .... , au .... des cuirs et à mille autres .... Les chimistes l'appellent .... ; il est largement employé aussi dans l'industrie .... , ... , verrière, ...

...SON HISTOIRE

Les premières traces de vie humaine sur le territoire qui est devenu la France datent d'il y a 2 millions d'années. Au début du premier millénaire av. J.-C. les Celtes donnent vie à une civilisation où les pouvoirs sont partagés entre les druides (prêtres) et les guerriers. Mais la fierté de ce peuple, organisé en tribus autonomes et indépendantes, a facilité la conquête de la Gaule de la part de Jules César (58-51 av. J.-C.). Les Romains assurent une longue période de paix pendant laquelle se développent les communications, l'agriculture et l'architecture. Plusieurs villes françaises conservent des monuments de l'époque romaine.

L'amour courtois. Scène de la chanson de geste Renaud de Montauban, XIIIe s., Loyset Liédet.

Après la chute de l'Empire Romain d'Occident en 476, la France connaît de nombreuses invasions barbares et de courtes périodes de calme.

Au IXe siècle, Charlemagne essaie de reconstituer un vaste empire chrétien et se bat contre les Sarrasins musulmans qui veulent conquérir l'Europe. L'Église chrétienne devient un bastion de défense et une source de stabilité ; les monastères et les abbayes se multiplient et s'enrichissent : tout au long du Moyen Âge, le développement économique, agricole, culturel et artistique dépend de l'activité des ecclésiastiques qui dirigent ces communautés et qui sont souvent d'origine noble.

En 1096 les Chrétiens partent à la rescousse avec la première croisade, dans le but de reprendre la Terre Sainte aux Musulmans. Le contact avec l'Orient vivifie l'économie et la culture ; ceci détermine, au XIIe siècle, la naissance du style gothique et la construction des grandes cathédrales. Les cours médiévales se raffinent et accueillent artistes, poètes et troubadours qui diffusent les chansons de geste et célèbrent l'amour courtois, un sentiment pur et innocent qui lie le chevalier à une femme idéalisée et inaccessible. Mais les périodes de paix sont très courtes : la guerre de Cent Ans contre les Anglais (1337-1453) et plus tard les guerres d'Italie marqueront la fin du Moyen Âge.

Le château médiéval de Langeais, en Indre-et-Loire.

🎧 9 Vercingétorix

[À l'écoute]

1. En quelle année le chef gaulois prend la tête de la révolte ?
2. Dans quelle ville se déroule l'événement final ?
3. Dans quelles conditions se trouvent les Gaulois ?
4. Que fait Vercingétorix ? Pourquoi ?
5. Quelle est sa triste fin ?

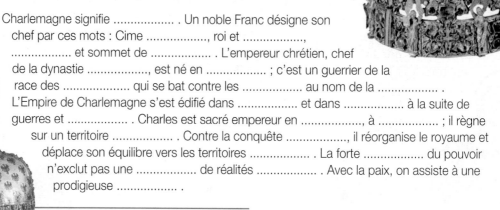

Vercingétorix, à Alésia.

🎧 10 Charlemagne

[À l'écoute]

Après avoir écouté, complétez.

Charlemagne signifie .... Un noble Franc désigne son chef par ces mots : Cime ...., roi et ...., ... et sommet de .... L'empereur chrétien, chef de la dynastie ...., est né en .... ; c'est un guerrier de la race des .... qui se bat contre les .... au nom de la .... L'Empire de Charlemagne s'est édifié dans .... et dans .... à la suite de guerres et .... Charles est sacré empereur en ...., à .... ; il règne sur un territoire .... Contre la conquête ...., il réorganise le royaume et déplace son équilibre vers les territoires .... La forte .... du pouvoir n'exclut pas une .... de réalités .... Avec la paix, on assiste à une prodigieuse ....

Reliquaire de Charlemagne, env. 1350.

🎧 11 Jeanne d'Arc

[À l'écoute]

Jeanne d'Arc, 1484,
Martial d'Auvergne.

1. Jeanne vit
   a. au Moyen Âge.
   b. à la Renaissance.
   c. à l'époque de Louis XIV.
2. Elle est
   a. une paysanne cultivée.
   b. une paysanne illettrée.
   c. une jeune guerrière.

3. Le roi de France
   a. est en guerre contre les Anglais.
   b. est décédé.
   c. demande l'aide de Jeanne.
4. Jeanne est inspirée
   a. par des voix célestes.
   b. par le dauphin Charles.
   c. par le siège d'Orléans.
5. Sa mission
   a. est un échec total.
   b. tombe aux mains des ennemis.
   c. réussit mais elle est capturée.

Le contact avec les petites et élégantes cours italiennes, affine le goût des Français. Les Italiens marquent fortement le XVIe siècle (entre autres Léonard, Cellini, Catherine de Médicis, épouse d'Henri II et régente après la mort du roi) et le XVIIe siècle (le cardinal Mazarin prépare l'avènement du Roi-Soleil).

Au XVIe siècle la France se lance dans la conquête coloniale : en 1534 le navigateur Jacques Cartier prend possession du Canada au nom du roi François Ier. Mais le pays est aussi tourmenté par les guerres de religion qui opposent catholiques et protestants ; le point culminant de cette sanglante guerre civile est le massacre de la Saint-Barthélemy (1572), où 20 000 huguenots (les protestants français) sont mis à mort en une nuit. La paix revient à la fin du siècle : par l'Édit de Nantes, le roi Henri IV garantit la liberté dans la pratique religieuse. La France est désormais un vaste pays unifié.

Catherine de Médicis reine de France, vers 1560, F. Clouet.

Henri IV, école française du XVIe s.

Louis XIV n'a que cinq ans lorsqu'il devient roi en 1643 mais il ne commence à régner qu'en 1661. Il réunit alors dans ses mains tous les pouvoirs ; il installe la cour à Versailles, conserve les privilèges à la noblesse mais lui ôte tous les pouvoirs politiques. Il protège les artistes et favorise tous les arts ; sa politique de prestige et de conquêtes fait rayonner la France sur toute l'Europe mais finit par vider les caisses de l'État.

Le XVIIIe est le siècle des Lumières ; au nom de la raison, les philosophes affirment le droit naturel et la liberté de l'individu et jettent les bases de la révolte sociale. Des années de mauvaises récoltes et la crise économique exaspèrent le mécontentement du peuple, ainsi, la Révolution éclate en 1789 avec la prise de la Bastille. Les privilèges des nobles sont abolis et en 1792 la monarchie est renversée : c'est la fin de l'Ancien Régime ; la République proclame sa devise : « Liberté, Égalité, Fraternité ».

Sept ans plus tard, Napoléon, ancien officier de l'armée révolutionnaire, met fin à la République. Devenu empereur, il entreprend la conquête de l'Europe et la modernisation de la France sous un régime fortement centralisé. Après sa défaite à Waterloo en 1815, le Congrès de Vienne remet les Bourbons sur le trône de France.

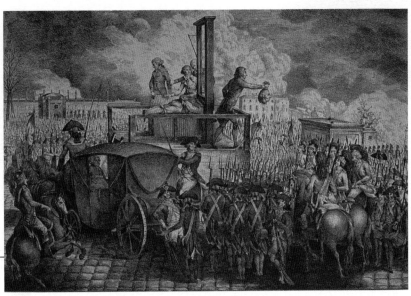

L'exécution de Louis XVI, école française du XVIIIe s.

Le XIXe siècle, avec ses progrès techniques, sa révolution industrielle favorisée par la machine à vapeur et le chemin de fer, l'expansion coloniale et les troubles politiques, voit s'alterner plusieurs formes de gouvernement. La république qui naît de la révolution de 1848 élit comme président Louis-Napoléon Bonaparte, neveu de Napoléon. En 1851, à la suite d'un coup d'État, il transforme la IIème République en Second Empire et il quitte la présidence pour devenir l'empereur Napoléon III. Il capitule contre les Prussiens à Sedan, en 1870. La France perd l'Alsace et la Lorraine.

Locomotive sous le pont de l'Europe, près de la gare Saint-Lazare, à Paris.

[Lire et comprendre]

Voici les noms de quelques personnages cités dans le texte.
Dites brièvement le rôle qu'ils ont joué dans l'histoire.

Catherine de Médicis	Henri IV
Le Cardinal Mazarin	Louis XIV
Jacques Cartier	Louis-Napoléon Bonaparte

L'Empereur Napoléon III,
env. 1852,
F.X. Winterhalter.

🎧 12 Napoléon

[À l'écoute]

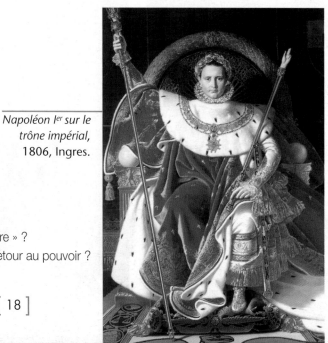

Napoléon Ier sur le trône impérial,
1806, Ingres.

1. Où et quand naît Napoléon ?
2. Grâce à quoi arrive-t-il au pouvoir ?
3. Quelles sont les étapes de sa montée ?
4. À quel âge arrive-t-il au sommet de sa « carrière » ?
5. Comment s'appelle la courte période de son retour au pouvoir ?
6. Où a-t-il été exilé ?

Louis Pasteur.

La IIIème République s'instaure en 1874 sur une France en pleine effervescence : le développement industriel voit la naissance d'une classe ouvrière qui se bat pour des conditions de vie et de travail plus humaines. Sur le plan politique, on assiste à la naissance des syndicats et des partis socialiste et communiste ; à la fin du siècle, l'Affaire Dreyfus divise le pays entre une droite conservatrice et antisémite et une gauche progressiste et antimilitariste.

Les découvertes scientifiques et leurs applications dans tous les domaines

Marie et Pierre Curie.

accélèrent le changement de la vie quotidienne : en quelques décennies l'instruction obligatoire et gratuite, l'électricité, la vaccination, l'automobile, l'avion, la photographie, le cinéma, le téléphone, la radio… changent radicalement la vision du monde. La création artistique et littéraire change aussi : Paris, ville-lumière, devient le centre de tous les mouvements d'avant-garde.

Ce renouvellement profond et l'euphorie qui l'accompagne sont brusquement interrompus par la Première Guerre mondiale. À la fin du conflit, l'Allemagne, battue, doit restituer l'Alsace et la Lorraine.

La Grande Dépression qui suit le crash de Wall Street en 1929 favorise la montée des dictatures en Italie, Espagne et Allemagne. La Deuxième Guerre mondiale secoue à nouveau le monde. En 1940 la France, envahie et écrasée par les nazis, signe l'armistice ; le général de Gaulle, exilé à Londres, organise la Résistance. Alors que le nord du pays est occupé par les troupes allemandes, dans le sud, en « zone libre », les « maquisards » (combattants de la Résistance) se battent pour la libération.

La fin de la guerre coïncide avec le démantèlement de l'Empire colonial, mais ceci entraîne la France

dans deux autres conflits : la guerre d'Indochine et la guerre d'Algérie. Le général de Gaulle, appelé au pouvoir en 1958, fonde la Vème République qui lui donne de vastes pouvoirs. Il met fin aux conflits et adopte une politique étrangère qui redonne à la France le prestige international qu'elle avait perdu.

[Vérifions la compréhension]

Les sciences, la ville de Paris, Wall Street, la Résistance et l'Empire colonial sont cités dans ce texte. Dites brièvement à quel propos.

🎧13 Le métro

[À l'écoute]

1. En juillet 1900
   a. on construit la première ligne.
   b. circule la première rame.
   c. est creusé le premier trajet.
2. La ville a besoin de
   a. transports de surface.
   b. une circulation moins chaotique.
   c. un circuit réservé au transport urbain.
3. La circulation de surface est
   a. réglée par la signalisation.
   b. réservée aux piétons.
   c. sans signalisation et dangereuse.
4. Le succès du métro est confirmé
   aujourd'hui par
   a. 50 millions de passagers par an.
   b. des millions d'utilisateurs chaque jour.
   c. l'inauguration de la ligne 14.

...SA MODERNITÉ

Depuis la fin de la Seconde Guerre mondiale, la France a connu des mutations radicales : on appelle « les trente glorieuses » les années de forte industrialisation et d'enrichissement qui vont jusqu'à la crise pétrolière des années 70. Pendant ces années, la société rurale se transforme en société industrielle et s'urbanise, les conditions de vie s'améliorent et des changements profonds se préparent.

La protestation des étudiants et des ouvriers éclate en mai 1968 ; elle aura des conséquences sociales et culturelles importantes : plus de tolérance et d'ouverture d'esprit, moins d'inégalités sociales, égalité des femmes, plus d'assistance de la part de l'État pour assurer à toute la population un minimum de bien-être.

Entre-temps, le pays fait des pas de géant dans tous les domaines ; les paysages urbains se modifient sans cesse avec la construction d'édifices ultramodernes, comme dans le quartier de la Défense, souvent placés au milieu d'une architecture classique, comme la pyramide du Louvre.

La fontaine Stravinskij, sculptures de Tinguely et Niki de Saint-Phalle.

La tour Bull à La Défense.

Depuis 1976, le Concorde, l'avion supersonique franco-britannique, réduit les temps de transport sur les longues distances et depuis 1981 le TGV minimise les distances intérieures ; la construction des centrales nucléaires rend la France autonome en matière d'énergie ; l'Aérospatiale participe au projet Ariane pour la conquête de l'espace. L'intégration européenne voit la France toujours en première ligne. Les nouvelles technologies améliorent la production et simplifient la vie des travailleurs. Mais plusieurs secteurs sont en crise à cause de la concurrence des pays moins avancés, où la main d'œuvre est beaucoup moins chère. Le chômage, l'intégration des immigrés, la dégradation généralisée de la société sont les problèmes majeurs que la France doit affronter en ce moment.

[Des mots pour le dire]

1. La longue période de croissance et d'enrichissement qui suit la Seconde Guerre mondiale s'appelle ....

2. Le phénomène qui décrit le déplacement de grandes masses de population de la campagne à la ville s'appelle ....

3. Lorsque le progrès est rapide et remarquable, on dit que l'on a fait des ....

4. L'ensemble des travailleurs constitue la ....

5. Le manque de travail provoque le ....

6. Le processus qui permet d'accueillir à plein titre dans une communauté un élément étranger se définit ....

〔14〕 Beaubourg

[À l'écoute]

1. Le Centre Pompidou est un édifice polyvalent ; quelles sont ses fonctions ?

2. Qui a décidé sa construction ? Quel objectif avait-il attribué à cette structure ?

3. Quel architecte italien a participé au projet ?

4. Les Parisiens ont-ils accueilli avec enthousiasme la nouvelle construction ?

... SON ART

Le Louvre

C'est le musée le plus célèbre du monde. La construction de cet immense palais commence par une forteresse carrée que Philippe Auguste fait ériger vers 1190 pour protéger la ville.

Au cours des siècles suivants, les rois la transforment en résidence somptueuse en ajoutant des bâtiments et des colonnades. En 1682 Louis XIV quitte Paris pour Versailles. Le Louvre, laissé à l'abandon, est occupé par des troupes d'artistes. En 1793 les hommes de la Révolution le transforment en musée. Le président François Mitterrand lance la dernière transformation du palais. Le Grand Louvre devient une réalité en 1989 avec l'inauguration de la pyramide transparente de Ieoh Ming Pei, qui assemble 603 losanges et 70 triangles de verre.

La déesse Hathor et le roi Séti Ier.

Une des salles de la peinture française.

Avec la pyramide qui constitue l'entrée principale du musée, s'ouvrent aussi au public les fossés médiévaux.

En 2001, à la fin du projet, 60 000 m² de surface d'expositions permanentes sont accessibles et 34 000 objets sont exposés, répartis dans 7 départements : peintures, sculptures, objets d'art, art graphique, antiquités orientales, antiquités égyptiennes et antiquités grecques, étrusques et romaines. 7 000 ans d'histoire sont documentés. De quoi s'y perdre !

www.louvre.fr

Ciboire d'Alpais, avant 1200, Limoges.

Taureaux ailés assyriens.

[Lire et comprendre]

1 Après avoir lu, complétez.

1. La construction du Louvre commence en ...
2. À l'origine, c'est une ... qui est destinée à ...
3. Les rois qui l'habitent, la transforment en ...
4. Après le départ de la Cour à Versailles, le Louvre ...
5. En ... , sous la Révolution, il est transformé en ...
6. Les derniers grands travaux sont décidés par ...
7. La nouvelle entrée est constituée par la ...

2 Maintenant associez les noms aux pièces de l'immense trésor du Louvre proposées dans cette page.

1. La Vénus de Milo
2. La Victoire de Samothrace
3. Le Scribe accroupi
4. La Joconde (Léonard de Vinci)
5. La Liberté guidant le peuple (Eugène Delacroix)
6. Le Radeau de la Méduse (Théodore Géricault)

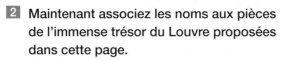

L'Impressionnisme

C'est un mouvement qui s'est développé surtout en peinture pendant les trente dernières années du XIXe siècle. Les peintres impressionnistes (Monet, Manet, Degas, Renoir, Morisot, etc.) se proposaient d'exprimer les impressions fugitives que les objets et la lumière suscitent et qui changent selon le lieu, l'heure, la saison. Ils aimaient la peinture en plein air, les paysages, les sujets simples et quotidiens et privilégiaient la lumière, les vibrations de l'eau et des couleurs.

Le bal du Moulin de la Galette, 1876, Pierre-Auguste Renoir.

Leur première exposition en 1874 fut un véritable scandale parce qu'elle rompait avec la tradition classique de la reproduction du réel et de la célébration des mythes et de l'histoire.

Le tableau de Monet qui ouvrait l'exposition s'intitulait *Impression, Soleil Levant* et un critique d'art n'hésita pas à se demander avec ironie quelle valeur pouvaient avoir des tableaux qui ne montraient que des « impressions » de la réalité... Ces peintres étaient des « impressionnistes » !

Impression, Soleil Levant, 1872, Claude Monet.

Les tableaux impressionnistes sont exposés au Musée d'Orsay à Paris, inauguré en 1986 dans l'ancienne gare transformée par l'architecte italienne Gae Aulenti.

www.musee-orsay.fr

[Lire et comprendre]

1 Répondez aux questions suivantes.

1. D'où vient le nom de ce mouvement ?
2. Les impressionnistes aiment la peinture en plein air ; pourquoi ?
3. Quels effets les peintres impressionnistes veulent-ils reproduire sur la toile ?

[Des mots pour le dire]

Associez les éléments des deux groupes de mots.

1. Les outils du peintre sont
2. La couleur est
3. Les sujets d'un tableau sont
4. Les tableaux sont exposés avec
5. Les couleurs peuvent être
6. Le peintre travaille dans
7. Selon le style, un tableau peut se définir

a. sa matière première.
b. un atelier.
c. éteintes, brillantes, nuancées, estompées.
d. un portrait, un paysage, une scène de vie.
e. réaliste, cubiste, impressionniste, abstrait.
f. un cadre.
g. la palette, le pinceau, le chevalet, la toile.

Le Cubisme

C'est le mouvement inauguré par le tableau *Les Demoiselles d'Avignon* peint par Picasso en 1907. Le cubisme est un mouvement de rupture avec la tradition : les artistes se proposaient de représenter les objets décomposés en éléments géométriques simples, reconstitués sur un plan unique sans aucun respect de la vraisemblance et de la perspective.
C'est le début de tout l'art moderne.

Les Demoiselles d'Avignon, 1907, Pablo Picasso.

Job, 1896, Alphonse Mucha.

Pendentif *Princesse lointaine,* René Lalique.

L'Art nouveau

C'est le style qui incarne l'esprit Belle Époque et qui caractérise la période allant de la fin du XIXe siècle jusqu'à la Première Guerre mondiale. Il se reconnaît facilement à ses lignes courbes et sinueuses et aux motifs floraux. En Italie, il prend le nom de Liberty.

Nuit et jour, René Lalique.

L'Art déco

L'Exposition internationale de 1925 lance ce nouveau style dominé par des lignes géométriques simplifiées et stylisées et des nuances qui se prêtent à la production industrielle. Des couleurs lumineuses et brillantes caractérisent cet art d'élite qui a des ambitions de luxe et de grandeur.

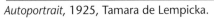

Autoportrait, 1925, Tamara de Lempicka.

...SA TABLE

d'ici...

« Il faut manger pour vivre et non pas vivre pour manger » disait Molière. Malgré cette sentence, les Français ont toujours été très sensibles aux plaisirs de la table dont la tradition remonte au moins au XVIIᵉ siècle.

Dans un sondage récent, on a demandé aux Français comment ils choisiraient de passer une soirée importante : 50% ont cité en premier un repas pour deux dans un grand restaurant. En effet, l'art du bien-manger est devenu un véritable culte et la soirée au restaurant est une des sorties préférées, pas seulement à Paris !

Comme la haute couture, la grande cuisine est en mutation : dans les années 70 « la nouvelle cuisine » avait lancé une mode coûteuse, élégante et raffinée, mais tellement légère qu'après le repas on avait encore faim. La tendance actuelle récupère les saveurs et la richesse des plats régionaux, elle est moins chère et plus conviviale.

Parmi les produits qui font la réputation de la table française, les fromages, les vins, le foie gras, les quiches et les crêpes ont depuis longtemps passé les frontières.

... et d'ailleurs

Le mélange des goûts est le dernier chic culinaire : le « world-food » ou la fusion-cuisine. Le principe est simple : toutes les saveurs du monde, ou presque, dans une seule assiette ! De la vaisselle chinoise et de l'huile d'olive,

Le cidre est le produit de la fermentation des pommes. Avec sa basse teneur en alcool et son goût sucré, il s'accorde bien avec les crêpes. C'est un produit typique de la Bretagne et de la Normandie.

Fromages de vache, de chèvre et de brebis... le plateau de fromages ne manque jamais sur les tables françaises.

La France est, avec l'Italie, le plus grand producteur et exportateur de vins de qualité supérieure.

du riz thaï et du pain de campagne, des légumes méditerranéens à la sauce soja... La France, si fière de sa gastronomie, découvre enfin les délices d'une cuisine légère, « diététiquement » correcte : sur les 30 000 restaurants de Paris, 16 000 sont « d'expression étrangère ».

Le « world-food » révèle l'influence des vagues successives d'immigration, mais ce n'est pas la seule raison : les Français voyagent de plus en plus et désirent retrouver chez eux ce qu'ils ont goûté ailleurs. Les consommateurs ont envie de changement et, en outre, la légèreté asiatique correspond à nos nouveaux modes de vie, plus sains, plus actifs.

Les restaurants ne sont pas les seuls à subir le charme de l'exotisme. Au supermarché aussi les chariots se mondialisent : couscous, taboulé, mangues et litchis... ; 50% des consommateurs les choisissent par goût, 30% pour varier leur alimentation, 10% parce qu'ils cherchent de nouvelles saveurs.

Un « petit noir » et un croissant, le petit déjeuner le plus français qui soit.

La bière est un produit typique largement consommé dans les régions du Nord-Est.

[Lire et comprendre]

1. La phrase citée en ouverture contient un reproche implicite. À qui ? Pourquoi ?
2. Qu'a révélé le sondage réalisé auprès du public français ?
3. L'univers de la gastronomie est en évolution. Comment change-t-il ?
4. Combien de restaurants y a-t-il à Paris ? Combien sont les restaurants « étrangers » ?
5. Qu'est-ce que la « fusion-cuisine » ? D'où vient cette mode ? Quelles sont les raisons de son succès ?

Retrouvez dans le texte les noms des aliments cités et indiquez le continent ou le pays de provenance.

[Des mots pour le dire]

Vous devez dresser la table ; donnez à chaque objet sa destination.

1. une assiette plate ou creuse
2. un verre
3. une nappe
4. une louche
5. des couverts
6. un plat
7. un saladier
8. un plateau
9. une serviette
10. une carafe

a. pour couper et porter à la bouche
b. pour l'eau et le vin
c. pour servir le potage
d. pour servir les mets cuisinés
e. pour ne pas vous salir
f. pour présenter les fromages
g. pour boire
h. pour le repas de chacun
i. pour « habiller » la table
j. pour préparer la salade

Et les ados ?

Le restaurant, d'accord, mais ce n'est pas tellement le genre des ados. Où mangent-ils, alors ?

En semaine, c'est la cantine du lycée, qualité généralement correcte mais peu appréciée par les élèves. Qui peut le faire, s'en va au café du coin pour un sandwich ou une salade. Pour les sorties, c'est la restauration rapide qui gagne.

Les alternatives françaises au McDo s'appellent Pomme de pain et Aubépain... On y trouve des sandwichs à base de produits traditionnels français, des salades, des frites, des tartes, des quiches et, bien sûr, des viennoiseries. Sinon, c'est la tradition italienne des pizzas et des « paninis » qui a été adoptée.

[Et vous ?]

- La table est-elle un plaisir pour vous ou une simple nécessité pour subsister ? Pourquoi ?
- Les produits français cités comme étant les plus connus à l'étranger, sont-ils connus aussi dans votre pays ? Les avez-vous goûtés ? Savez-vous citer quelques noms de plats étrangers ?
- Est-ce que dans votre pays il y a aussi cette mode des restaurants étrangers ? De quels pays les produits les plus appréciés viennent-ils ?

À bas les régimes !

Les desserts sont la partie la plus attendue d'un repas et souvent ils sont liés à la tradition. Les 13 desserts en sont un exemple. Selon une ancienne tradition provençale, la veille de Noël, avant de se rendre à la messe de minuit, on se contente généralement d'un repas « maigre », sans viande, paradoxalement appelé le « gros soupa ». C'est au retour de la messe que l'on déguste les 13 desserts, l'un en l'honneur de Jésus, les autres pour les 12 apôtres. Cette tradition s'est enrichie à Marseille de nouveaux parfums : par son port, une véritable porte de l'Orient au XVIIIe et au XIXe siècle, l'exotisme et les nouvelles saveurs sont entrés en France. Dans les 13 desserts, dattes, oranges, figues et mandarines s'harmonisent avec noix, amandes et raisins secs ou frais. Parmi ces friandises, il ne manque jamais le nougat, noir ou blanc.

La galette des rois

C'est le gâteau traditionnel du jour des Rois. Elle se prépare avec de la pâte feuilletée farcie d'une crème aux amandes, la frangipane. Avant de la mettre au four, on fait glisser dans la pâte une petite statuette en porcelaine ; autrefois c'était simplement une fève. Le soir de l'Épiphanie « on tire les rois » en famille et celui ou celle qui trouve la fève dans sa tranche de gâteau a droit à la couronne de roi de la fête. La tradition remonte au Moyen Âge, quand les abbés des monastères étaient choisis par tirage au sort le jour de l'Épiphanie.

[Lire et comprendre]

1. Que prévoit la tradition provençale pour le repas de la veille de Noël ? Comment s'appelle ce repas ?
2. Quelle est l'origine du nombre 13 dans cette tradition de la nuit de Noël ?
3. Quel port de France était une porte ouverte sur l'Orient ?
4. Citez quelques noms de fruits secs.
5. Comment s'appelle le gâteau que l'on mange le jour de l'Épiphanie?
6. Comment s'appelle la petite statuette en porcelaine cachée dans la pâte de ce gâteau ?

[Des mots pour le dire]

Complétez.

1. Un dessert bien français à base de chocolat et très mousseux, c'est la ....
2. Les Français les mangent sucrées ou salées, ce sont les ....
3. Elle est froide, avec des parfums différents, elle est souvent italienne, c'est une ....
4. Les Français en consomment au petit déjeuner, ce sont les ....
5. Il est petit et imbibé de rhum, c'est le ....
6. Ce sont de grosses châtaignes confites dans le sucre, ce sont les ....
7. Le vin des grandes occasions est blanc, pétillant et très cher, c'est le ....

🎧 (15) Le pain : une spécialité qui s'exporte
[À l'écoute]

1. Quel est le pain français le plus typique ? Pourquoi est-il défini une friandise ?
2. Les Français consomment-ils autant de pain qu'autrefois ?
3. L'image de la France est liée aussi à un autre produit de boulangerie, lequel ?
4. Où ces produits s'exportent-ils ? Leur nom est-il traduit dans d'autres langues ?
5. Quelles sont les caractéristiques du pain Poilâne ?
6. Que signifie le mot « viennoiserie » ?

Le chocolat, c'est bon pour le moral

Vous vous sentez fatigués, un peu stressés et au bord de la dépression ? Pas de panique, une barrette de chocolat vous aidera à sortir de l'impasse !

Eh oui, les effets toniques et antidépresseurs du chocolat, observés déjà depuis le XVIIᵉ siècle, ont pu être expliqués grâce à la science moderne : le chocolat contient en effet des substances chimiques, dont la caféine et la sérotonine, qui ont un rôle dynamisant et euphorisant ; elles stimulent le système nerveux central, chassent la fatigue, améliorent les performances musculaires et les réflexes. Son action est aussi psychologique : il peut réellement faire des miracles sur le bien-être général, il aide à masquer les déceptions, à adoucir les frustrations et à consoler les dépressifs. Bref, une véritable panacée liée à une idée de récompense que l'on offre à soi-même pour son plaisir.

Les Français le savent bien, puisque 94% d'entre eux consomment plus ou moins régulièrement du chocolat. Et les statistiques nous disent que les plus gourmands sont les hommes (18-34 ans) et les enfants (63 % des enfants de 4 à 10 ans consomment une boisson chocolatée au petit déjeuner et 19 % au goûter).

Mais d'où nous vient-il ?

D'une plante originaire de la région tropicale d'Amérique du sud : le cacaoyer, qui poussait déjà à l'état sauvage 4000 ans avant J.-C. Cette plante produit des fruits

(cabosses) qui contiennent des fèves ; celles-ci sont séchées puis broyées. La farine ainsi obtenue est transformée en pâte, une matière grasse dont on extrait aussi du beurre de cacao.

Les Mayas consommaient cette farine diluée dans de l'eau chaude avec du piment et la considéraient une boisson divine. Sa valeur et ses vertus étaient tellement appréciées que les fèves servaient aussi de monnaie d'échange.

Au XVIᵉ siècle, Christophe Colomb, Hernán Cortés et les conquérants espagnols, de retour de leurs voyages, rapportent des produits inconnus en Europe : tomate, haricot blanc, pomme de terre, maïs, piment, tabac et le chocolat, sous forme de boisson qu'ils rapprochent des goûts européens en remplaçant le piment par la vanille, la cannelle et le sucre : « Une tasse de cette précieuse boisson permet à un homme de marcher un jour entier sans manger » assure Cortès au roi Charles Quint.

Peu à peu, les Espagnols se mettent à boire du chocolat chaud. Ils apprennent aussi à fabriquer les premières tablettes, non pas pour les manger mais pour pouvoir stocker et transporter facilement le chocolat.

L'engouement pour le chocolat se développe donc en Espagne et en Amérique du sud ainsi que dans les Antilles bien avant d'atteindre le

reste de l'Europe. Peu coûteux à la production et de culture relativement facile, le cacao séduit les planteurs qui vont chercher leur main d'œuvre en Afrique. Le cacao comme le sucre et le coton, contribue à l'essor de l'esclavage.

Quel destin en Europe ?

Les premières fèves de cacao sont introduites en Italie, dans le Piémont, par le duc Emmanuel-Philibert de Savoie, en 1559. Les chocolatiers de Turin deviennent des experts de sorte qu'à la fin du XVIIe siècle, 350 kg de chocolat sont produits chaque jour pour être exportés en Autriche, en Suisse, en Allemagne et en France.

La consommation se diffuse en France au XVIIe siècle à la cour de Louis XIII grâce à la reine Anne d'Autriche, mais le chocolat reste un produit réservé à une minorité. Au XVIIIe siècle naissent les premières manufactures ; les Belges et les Suisses deviennent à leur tour des chocolatiers réputés et lancent la production industrielle.

Depuis, le chocolat n'a cessé d'évoluer : chaud, praliné, fourré, nature ou en crème à tartiner, il appartient à notre quotidien. Mais cette démocratisation n'enlève rien à son excellente réputation, au point que des livres et des films de succès s'en sont inspirés.

Pour en savoir davantage, consultez le site
http://www.choco-club.com

[Lire et comprendre]

1. Quels sont les effets du chocolat sur le physique ?
2. Quelles substances en sont responsables ?
3. Quels sont les effets psychologiques ?
4. Les bienfaits du chocolat sont une découverte des temps modernes ?
5. Les Français sont-ils des estimateurs du chocolat ?
6. Retracez brièvement l'histoire du chocolat.

[Et vous ?]

– Êtes-vous des consommateurs de chocolat ?
– Quel est votre chocolat préféré ? (au lait, noir, aux noisettes…)
– Vous en faites un usage modéré ? Pourquoi ?
– Vous arrive-t-il d'offrir ou de recevoir en cadeau une boîte de chocolats ? Quelles sont les meilleures occasions pour un cadeau de ce genre ?
– Y a-t-il des fêtes dans lesquelles le chocolat est une tradition ? Lesquelles ?
– Connaissez-vous une recette de gâteau à base de chocolat ? Si oui, dictez-la à vos camarades qui en transcriront le texte.

[Des images ? Parlons-en !]

Les dolmens...   Les flamants roses...   Les châteaux...

Les champs de lavande...   La moutarde...   La porcelaine...

Complétez à l'aide des photos ci-dessus, les légendes des photos suivantes.

... de Bretagne.

... de Limoges.   ... de Camargue.

... de la Loire.   ... de Provence.   ... de Dijon.

Travaillons ensemble

Travail par groupes

Ce dossier vous a promenés dans le temps et dans l'espace, dans une sorte de tour de France.

Vous allez maintenant préparer un itinéraire semblable pour présenter votre pays.

Un groupe se chargera aussi de trouver des produits typiques dont le nom se rattache automatiquement à une ville ou à une région.

Étape 1

Formez des groupes et choisissez une époque, par exemple :

1. Préhistoire ou antiquité ;
2. Moyen Âge ;
3. Renaissance ;
4. XVIIe, XVIIIe siècles ;
5. XIXe siècle ;
6. Époque contemporaine.

Étape 2

Pour chaque époque, décidez tous ensemble :

a. Quels sont les personnages remarquables (artistes, héros, navigateurs, hommes de science, écrivains, etc. Hommes et femmes, bien entendu !).

b. Quels sont les lieux, les faits, les monuments qui symbolisent et illustrent au mieux l'époque ou le siècle choisis.

Étape 3

Attribuez à chaque groupe un sujet sur lequel travailler et fixez une échéance pour rendre le travail.

Étape 4

Chaque groupe devra préparer son dossier sur une double page, avec illustrations.

Étape 5

Présentez tous les dossiers devant la classe, par ordre chronologique.

Ces dossiers pourront être réutilisés pour présenter votre pays à l'occasion, par exemple, d'un échange avec un lycée français.

Les jardins de Versailles.

2 À l'écran

Pop corn et grand écran

La grande nouveauté de ces derniers temps, c'est le retour en masse des jeunes dans les salles de cinéma. La clé de ce succès est double : d'un côté les multiplexes, un mode de « consommation » parfaitement adapté à la demande, de l'autre la politique des prix cassés. Les grandes maisons de distribution ont lancé des cartes d'abonnement mensuel pour les 15-25 ans à 18 euros, l'idéal pour le budget des lycéens et des étudiants.

Les multiplexes, qui poussent comme des champignons, sont une sorte de supermarché du cinéma avec espaces de restauration et boutiques, jeux vidéo, qualité technique d'avant-garde, fauteuils confortables, convivialité. Avec une grande variété de films à l'affiche, il est difficile de ne pas trouver un titre à son goût.

Intérieur et extérieur d'un multiplexe des cinémas Pathé situé Quai d'Ivry (94).

Le résultat est encourageant, puisque des masses de jeunes se pressent dans les salles et se laissent tenter par tous les genres. Hélas, le revers de la médaille est aussi à prendre en compte : n'importe qui va voir n'importe quoi et les spectateurs, souvent très jeunes, quittent parfois la salle au bout de quelques minutes. Il y a aussi ceux qui se croient chez eux au cinéma et téléphonent de leur portable, bavardent, mangent ou fument, sans se soucier de gêner les autres.

Pour les professionnels du secteur « 99% des spectateurs respectent les règles, et d'ailleurs dans tous les lieux publics on peut être confronté au malaise des jeunes. C'est donc un problème marginal, en tous cas le cinéma y gagne plus qu'il n'y perd à cette " démocratisation " ».

Toujours est-il que 48% du public des multiplexes a moins de 25 ans et la plupart déclare aller beaucoup plus souvent au cinéma depuis l'ouverture de ces salles.

[Lire et comprendre]

1 Lisez puis trouvez dans le texte les réponses aux questions suivantes.

1. Quel phénomène marque le cinéma de ces dernières années ?
2. Qu'est-ce qu'un multiplexe ?
3. Quel type de public le fréquente ?
4. Qu'est-ce qu'il offre à ce public ?
5. Comment s'est réalisée la politique des prix ?
6. À quel public s'adresse-t-elle ?
7. Quel est le revers de la médaille ?
8. Quel est l'avis des professionnels à ce sujet ?

Un film événement

Récompensé par le prix du meilleur film, le prix du meilleur réalisateur, la meilleure musique de film et le meilleur décor à la cérémonie des Césars en mars 2002, *Le fabuleux destin d'Amélie Poulain* a été un succès mondial.

Amélie, jeune fille timide, travaille comme serveuse dans un bar à Montmartre. Un jour, elle découvre par hasard une petite boîte en métal pleine de souvenirs d'enfance. Elle se met à la recherche de son propriétaire, un certain M. Bredoteau… La réapparition de cette boîte change la vie de cet homme. Cette fois-ci, Amélie a compris quelle sera sa mission dans la vie : elle rendra les gens heureux. Et peut-être, en chemin, trouvera-t-elle le bonheur…

Drôle, poétique, romantique et un peu surréel, ce film lance une mode et ouvre un vaste débat social. Pas de violence, aucun effet spécial, une histoire simple et amusante avec une sensibilité et une délicatesse sans égale. Amélie est simple, radieuse et généreuse ; elle embellit la vie des autres grâce à un caractère positif qui fascine tant, peut-être parce qu'il est devenu si rare !

Le fabuleux destin d'Amélie Poulain,
de Jean-Pierre Jeunet, 2001,
avec Audrey Tautou
et Mathieu Kassovitz.

[Et vous ?]

– Connaissez-vous ce film ?
– Si oui, vous l'avez vu en version originale ou dans sa traduction ? Avez-vous aimé l'histoire racontée ?
– L'énorme succès qu'il a connu en France vous semble-t-il justifié ?
– Comment a-t-il été reçu dans votre pays ? Est-il resté longtemps à l'affiche ? En a-t-on parlé dans les médias ?

[Des mots pour le dire]

Vous sortez du cinéma et vous donnez votre avis sur le film que vous avez vu.
Placez dans la grille les expressions suivantes.

> Passionnant, époustouflant, très médiocre, quel navet !, marrant comme tout, ça ne m'a pas emballé, pas terrible, excellente interprétation, très chouette, intéressant mais sans plus, assommant, génial.

Vous avez aimé	Vous n'avez pas aimé

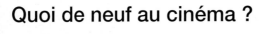

Quoi de neuf au cinéma ?

La carte d'abonnement et les multiplexes ne sont toutefois pas la seule raison de ce retour massif des jeunes dans les salles. C'est le cinéma français en général qui a rajeuni et ce sont les réalisateurs français de la nouvelle génération qui séduisent avec des films qui n'ont plus rien à envier aux productions d'outre-Atlantique.

Luc Besson, Christophe Gans, Mathieu Kassovitz ont eux-mêmes grandi avec les jeux vidéo, les BD et le fantastique ; ils connaissent bien ce qui plaît aux jeunes et c'est à eux qu'ils s'adressent. Thriller, science-fiction, action, tout est servi à la sauce américaine, y compris le mythe de la femme guerrière que Besson a largement exploité avec *Nikita*, *Jeanne d'Arc*, *Le cinquième élément*.

Et pour les autres ?

Ceux qui n'aiment pas la foule bruyante des ados, trouveront leur bonheur dans les petites salles de quartier. Pour garder leur public d'amateurs, elles se spécialisent (cinéma pour enfants, films à thème), diversifient leurs offres (expo, débats avec les réalisateurs) et élaborent des stratégies nouvelles (cinéma-bar-restaurant). Mais il y a aussi ceux qui n'ont pas le temps d'aller au cinéma et préfèrent voir un film, confortablement installés chez eux : c'est nettement moins convivial mais infiniment plus relaxe. Là aussi, le choix est varié, à condition de pouvoir se payer un supplément de technologie ménagère qui n'est pas bon marché.

Le DVD est le rêve du cinéma format maison : moins encombrant et pratiquement inusable, il relègue la cassette VHS au rayon des objets de collection. Qualité de l'image et du son, choix de la langue, interviews des comédiens, extrait du tournage des films..., voilà les bonus qui séduisent, mais le prix n'est pas à la portée de toutes les poches.

Outre cela, il reste le vieux système magnétoscope + vidéo ou bien la télé. Si vous n'avez que cette dernière ressource, pour voir quelque chose d'intéressant il faut être câblé (c'est-à-dire relié à un réseau satellitaire) ou doté d'une parabole et d'un abonnement : les chaînes à diffusion libre n'assurent pas toujours une offre diversifiée.

[Lire et comprendre]

Choisissez parmi les trois possibilités.

1. Le retour « massif » signifie
   a. le retour violent.
   b. le retour en grand nombre.
   c. le retour désordonné.

2. À la sauce « américaine » signifie ici
   a. action, effets spéciaux et gros plans.
   b. rapidité, violence, vraisemblance.
   c. introspection, soin du détail.

3. Les réalisateurs de la nouvelle génération séduisent le jeune public parce que
   a. ils sont jeunes eux aussi.
   b. ils imitent le style américain.
   c. ils se sont formés sur le même modèle culturel.

4. Les petites salles de quartier
   a. réduisent les stratégies.
   b. multiplient les initiatives.
   c. découragent leur public.

5. Pour le cinéma format maison
   a. le DVD est excellent mais cher.
   b. la télé est encore la meilleure solution.
   c. le câble n'offre rien d'intéressant.

Voici quelques avis sur la télé

1. « On trouve de tout à la télé, du bon et du mauvais. À vous de faire votre programme et de choisir sans vous laisser conditionner. »

2. « Si on évite les pubs et les jeux débiles, ça peut faire plaisir de se détendre devant une bonne émission. »

3. « La télé, c'est nul. Ça vous fait perdre du temps sans rien vous apporter d'intelligent. On ne fait plus rien d'autre. Éteignez-la, bougez. Vous serez mieux dans votre peau ! »

4. «C'est un truc qui n'est bon que pour les vieux.»

5. « Les séries américaines sont géniales : humour et quotidien. Ces héros nous ressemblent. »

Interprétez les réponses.

a. Dites quels sont les avis qui impliquent un jugement
   complètement positif / partiellement positif / assez négatif / tout à fait négatif
b. Il faut s'en servir avec modération.
c. Il y a des émissions ciblées par tranche d'âge.
d. Les effets peuvent être néfastes.
e. Donnent des conseils implicites ou explicites.
f. Certains y trouvent leur bonheur.

france **2** france **3** france **5**  arte CANAL+

[Et vous ?]

1 **À propos de télé.**

– Choisissez dans la page précédente l'affirmation qui se approche le plus de votre opinion et argumentez votre choix.

– Dites quelles sont vos habitudes face à la télé (temps d'utilisation, moment de la journée, type d'émission, etc.)

– Dites quel est votre équipement technologique ou celui que vous voudriez posséder.

2 **À propos de cinéma.**

– Dites quels sont vos goûts et vos habitudes (fréquence des sorties-cinéma, genre préféré, type de salle, prix payé, etc.)

– Faites une comparaison entre ce qui est offert aux jeunes en France et dans votre pays.

– Faites votre commentaire sur la conduite de certains jeunes dans les salles (vous êtes étonnés, indifférents, résignés ou quoi d'autre ?).

TF1

5.55 Le docteur mène l'enquête. 6.45 TF1 info. 6.50 TF1 jeunesse. 8.30 Météo (et à 9.23, 10.55). 8.35 Téléshopping. 9.25 Allô quiz.

11.05 Mission sauvetages
Les mariés du ciel. Il ne reste plus que deux jours avant que Marion puisse prendre ses vacances afin d'effectuer un voyage autour du monde avec Anton.   7 683 832 ◆

11.55 Tac O Tac. **12.05** Attention à la marche ! **12.50** À vrai dire. **13.00** Journal. **13.45** Au cœur des Restos du cœur. **13.50** Météo. **13.53** Trafic infos.

13.55 Les feux de l'amour   4 865 870 ◆
Victoria n'a pas pu annoncer son projet de mariage à ses parents car Victor a préféré se rendre chez Diane. Drucilla n'apprécie guère la présence de Victoria aux côtés de Neil.

14.45 La route de la vengeance
TVfilm. Suspense. De Deran Sarafian. USA. 1999. **1h40.**
Avec Yasmine Bleeth, Jere Burns.
Une jeune femme, qui a eu une altercation avec un livreur, se plaint à son employeur. Le jeune homme est renvoyé. Il décide de se venger.   8 964 238 ◆

16.25 Pacific Blue
Dangereuses contrefaçons. L'équipe de Pacific Blue enquête sur une entreprise pharmaceutique qui fournit de fausses drogues à des cliniques et à de nombreuses pharmacies.   4 562 702 ◆

17.20 Dawson
Mon meilleur ennemi. A la recherche d'un emploi, Joey se fait embaucher au Yacht Club, en prétendant avoir les recommandations de gens influents. Mais Drue, le fils de la patronne, découvre son petit manège.   627 967 ◆

18.10 Zone rouge   2 514 561 ◆

18.55 Le bigdil
Spécial Nouvel An chinois   381 528 ◆

19.55 Météo. **20.00** Journal. **20.44** Le résultat des courses. **20.45** Météo. **20.50** Trafic infos.

20.50 MAGAZINE   2H20.

Les 7 péchés capitaux

france **2**

5.50 Un livre (et à 8.30, 16.40). 5.55 Les z'amours. 6.30 Télématin. 8.35 Des jours et des vies.

9.05 Amour, gloire et beauté
Rick parvient à se procurer, auprès de Tilly, une photo de Deacon, le père biologique du petit Eric.   5 134 290 ◆

9.30 C'est au programme   401 967 ◆
11.00 Flash info. **11.05** Motus. **11.40** Les z'amours. **12.20** Pyramide. **12.55** Météo. **13.00** Journal. **13.40** Météo. **13.45** Point route.

13.50 Derrick
L'indifférence. Un jeune homme a été abattu dans le parking de sa résidence. Crime passionnel ou meurtre crapuleux ? L'inspecteur Derrick enquête.   107 384 649 ◆

14.55 Le Renard
Onde mortelle. Le commissaire Kress se penche sur la mort accidentelle d'un homme qui avait reçu des menaces de son vivant.   9 037 344 ◆

15.55 En quête de preuves
La mort dressée. Ines Sternberg, une fillette de 11 ans, est mortellement blessée par un chien. L'enquête révèle que les crocs du molosse avaient préalablement été enduits de poison.   2 407 851 ◆

16.45 Rayons X
La téléportation (R)   7 761 752 ◆

16.50 Des chiffres et des lettres   165 716 ◆

17.25 La cible   890 412 ◆

18.05 Urgences   6 346 561 ◆
La vie continue. Le docteur Greene est confronté à des situations délicates, tant à l'hôpital que dans sa vie privée.

18.55 On a tout essayé   2 521 851 ◆

19.45 Météo   2 954 832 ◆

19.50 Un gars, une fille
Dans la Drôme – 5   2 899 509 ◆

20.00 Journal. **20.45** Météo. **20.50** Point route.

21.00 SÉRIE   1H40. ♥ ♥

Boulevard du Palais

france **3**

6.00 Euronews [...]

9.55 Dr [...]
La vérit[é...]
dans un [...]
donner s[...]

10.45 Drô[...]
Ça roule [...]
enlevée. Les Drôles de dames apprennent qu'elle est l'héritière d'une grosse fortune.   7 248 073 ◆

11.35 Bon appétit, bien sûr
Eclade de saumon aux aiguilles de pin   5 500 073 ◆

12.00 Le 12/14   2 809 615 ◆

13.50 Kéno   1 590 528 ◆

13.55 C'est mon choix   1 023 948 ◆

15.00 Un coupable tout désigné   74 6949 ◆
TVfilm. Drame. De Sturla Gunnarsson. USA. 1999. **1h30.**
Avec Lynn Whitfield, Richard Lineback.
Un caporal noir est accusé du viol de l'épouse d'un officier. Malgré un solide alibi, il doit faire face à un juge raciste.

16.30 TO3
Jackie Chan ● Jett Jackson.   58 870 ◆

17.30 Mon kanar   11 306 ◆

17.45 C'est pas sorcier (R)
La traversée du désert   77 770 ◆

18.15 Un livre, un jour   9 718 696 ◆

18.20 Questions
pour un champion   4 911 509 ◆

18.45 Gestes d'intérieur   9 708 219 ◆
Les aérations de la cuisine et de la salle de bains

18.50 Le 19/20   9 798 832 ◆

20.05 Météo. **20.07** La météo des neiges. **20.10** Tout le sport. **20.25** Le fabuleux destin de...

20.55 MAGAZINE   1H35.

Thalassa

Le cinéma est-il né en France ?

Les frères Lumière sont connus comme les inventeurs du cinéma. En fait, ils ne sont pas les seuls à avoir mis au point un appareil capable de faire défiler des images sur un écran mais ils sont les premiers à avoir transformé leur invention en spectacle pour un public payant.

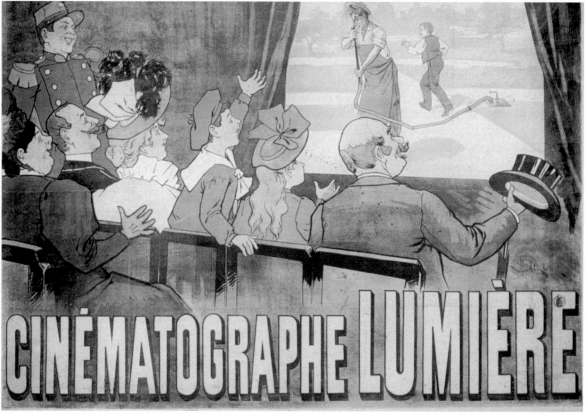

Le cinéma est né le 28 décembre 1895, à Paris.
Les premiers films sont des courts métrages de quelques minutes : *L'entrée en gare d'un train à La Ciotat, La sortie des ouvriers des usines Lumière.*

À ses débuts, le cinéma est muet et il ne devient parlant qu'en 1927 (date du premier film parlant américain). Les images sont en noir et blanc. Pour les couleurs il faudra attendre 1934, aux USA.

Blanche-Neige et les sept nains, premier film d'animation en couleurs, est produit par Walt Disney en 1937.

Cannes : capitale du cinéma

Depuis 1946, chaque année, le Festival International du Cinéma se déroule au Palais des Congrès, à Cannes. Il se conclut par la remise de la Palme d'Or qui est la plus haute récompense cinématographique du festival.

Au mois de mai, sur la Croisette, il n'est pas rare de rencontrer quelques stars internationales. Le rite immuable du festival est cependant la montée des marches par les vedettes sous les flashes des photographes.

Comme à Hollywood, autour du Palais des Congrès, les stars laissent l'empreinte de leurs mains et leur signature dans les carreaux qui décorent l'Allée des... Étoiles.

César Baldaccini.

Le César, un prix prestigieux

Si l'Oscar américain est une statuette dorée, le César français est un bloc de métal. Ce mot vient du prénom de son créateur, César Baldaccini (1921-1999) célèbre pour ses sculptures de pouces géants et pour ses cubes, réalisés en comprimant des voitures.

Le César est décerné depuis 1975.

[Lire et comprendre]

1. Une ville, deux prix et deux frères lient le cinéma à la France. Lesquels ?
2. En quelle année a eu lieu le premier Festival International du Cinéma ? En quel mois de l'année cette manifestation culturelle se déroule-t-elle ?
3. Quelle idée les frères Lumière ont-ils eue les premiers ?
4. Le cinéma parlant et en couleurs sont-ils nés en même temps ?
5. En quoi consiste le César ? Quelle est l'origine de ce nom ?

[Et vous ?]

– Quels sont les films les plus appréciés des jeunes ? Pourquoi ?
– Pourquoi les films américains ont-ils autant de succès ?
– En général, le jugement de la critique coïncide-t-il avec celui du public ?
– Existe-t-il un festival du cinéma dans votre pays ? A-t-il une importance au niveau international ? Quel prix décerne-t-il ?
– Quel est le meilleur film que vous avez vu récemment ? Racontez-le brièvement.

Deux départs, une seule carrière

Arrivées très jeunes sur les écrans par des chemins différents, elles ont entamé la même carrière et brillent maintenant dans le firmament du cinéma français.

Sophie Marceau est parisienne. En 1980, elle est une tranquille adolescente de 14 ans qui ne pense pas du tout à faire carrière dans le cinéma. Elle cherche juste un petit boulot d'été pour gagner quelques sous pour les vacances.

« Je suis tombée sur une petite annonce qui demandait des adolescentes pour faire des photos pour une agence de casting. Quelque temps plus tard, on m'a appelée pour me proposer de participer à la sélection pour le film *La Boum*. Je m'y suis rendue avec mon père, sans trop y croire. Je me suis retrouvée avec 1000 autres filles de mon âge, toutes décidées à être la meilleure ! »

Le réalisateur Claude Pinoteau, fasciné par sa fraîcheur et son naturel, lui confie le rôle de Vic, une adolescente qui connaît ses premières émotions amoureuses. Sophie est au septième ciel : « Je n'en revenais pas ! Vous vous rendez compte ? C'est le rêve de toutes les filles ! »

Elle change son nom Maupu en Marceau (le nom d'une avenue parisienne), ainsi elle garde au moins ses initiales. *La Boum* est un succès, doublé deux ans plus tard par *La Boum 2* pour lequel elle reçoit le César du meilleur espoir féminin.

Les réalisateurs lui font de nombreuses propositions, mais Sophie, déterminée et ambitieuse, veut casser son image de jeune frivole et sentimentale, elle souhaite être reconnue aussi pour son intelligence et sa personnalité.

En 1995, elle est la reine Isabelle dans le film épique *Braveheart*, qui remporte cinq Oscars.

C'est le début d'une carrière internationale, confirmée par sa présence aux côtés de l'agent 007 dans *Le monde ne suffit pas*.

En 2002 elle débute comme réalisatrice avec *Parlez-moi d'amour*, qui raconte la fin d'un couple usé qui se sépare.

« Je crois que pour un acteur c'est une envie naturelle. D'une certaine manière, on fait de la psychologie avec une caméra ; on pénètre dans l'âme des gens .»

Le cinéma n'est pas la seule passion de Sophie ; à côté de son rôle de maman, elle s'engage dans la défense des animaux et fait partie de l'association Arc-en-Ciel, chargée d'aider les enfants malades à réaliser leurs rêves.

Charlotte Gainsbourg était de quelque manière destinée à une carrière dans le spectacle. Jane Birkin, sa mère, est une comédienne et chanteuse anglaise, son père, Serge Gainsbourg, chanteur et poète, était un artiste polyvalent. Leur style de vie anticonformiste et provocateur les a souvent mis au centre de l'attention ; une popularité embarrassante qui a peut-être favorisé la tendance de Charlotte à se replier sur elle-même. En 1984, lorsqu'elle n'a que 13 ans, elle débute dans *Paroles et musique* à côté de Catherine Deneuve dans le rôle de l'adolescente « difficile », un rôle qui lui va à la perfection d'autant plus que le personnage s'appelle aussi Charlotte. L'année suivante, dans *L'Effrontée* du réalisateur Claude Miller, elle aura le rôle principal, celui d'une adolescente introvertie et

torturée, encore une fois une Charlotte. Pour ce film, elle reçoit le César du meilleur espoir féminin mais restera longtemps emprisonnée dans ce personnage.

« Il m'a fallu du temps pour me libérer de cette écorce ; heureusement, j'ai beaucoup évolué : le cinéma est une fiction, la vie est autre chose ! Je suis beaucoup plus solide à présent qu'à mes débuts : mon fils Ben a tout changé dans ma vie, avant j'étais plutôt tournée vers le passé, maintenant je vis bien dans le présent. J'aime changer et continuer à apprendre. Quand j'étais enfant, mes parents m'ont toujours encouragée : j'ai fait du piano, du dessin et j'aime l'écriture. »

Dans son dernier film, *Ma femme est une actrice*, elle est dirigée par son mari, Yvan Attal. Il joue à ses côtés le rôle du reporter sportif jaloux qui ne supporte pas de voir sa femme actrice tourner avec d'autres hommes.

[Lire et comprendre]

	Sophie Marceau	Charlotte Gainsbourg
Comment est-elle arrivée au cinéma ?		
Comment a été son enfance ?		
Quel est le titre de son premier film ?		
À quel âge l'a-t-elle tourné ?		
Quel rôle avait-elle ?		
Quel âge a-t-elle à présent ?		
Qu'est-ce qu'on découvre de sa personnalité ?		
Qu'est-ce qui l'intéresse, outre le cinéma ?		
Qu'y a-t-il de particulier dans son dernier film ?		

[Et vous ?]

– Choisissez l'acteur ou l'actrice que vous préférez et faites-en la biographie en suivant le schéma proposé par la grille ci-dessus.

– Avez-vous pensé que vous pourriez participer à un casting de sélection pour un rôle au cinéma ou à la télé ? Si vous l'avez fait, racontez votre expérience, sinon dites ce qui vous retient de le faire.

– Choisissez parmi vos photos celle que vous pourriez envoyer à une agence de casting pour vous faire sélectionner. Apportez-la en classe, décrivez-la à vos camarades et dites pourquoi vous l'avez choisie.

LUC BESSON...

Le cinéma français devient international

Né en 1959, Luc Besson a gardé une tête d'enfant terrible et la passion de l'eau. Passionné de plongée, son rêve était de monter des spectacles avec des dauphins mais, à 17 ans, un accident lui interdit la plongée. Il se met alors à penser au cinéma et, à 18 ans, il réalise un court métrage en noir et blanc, sans dialogues, qui le fait remarquer par la critique. En 1988, il présente à Cannes *Le Grand Bleu*, 9 millions d'entrées, un film qui devient culte et qui le propulse dans la célébrité.

Le jeune cinéaste se montre sensible aux courants du moment : plus de vedettes, de musique, d'images, d'action, de rêves. Le cinéma français a trouvé son antidote à l'invasion américaine. Mieux, Luc part à la conquête des États-Unis avec une recette assez simple : des histoires limpides, des héros majuscules, un goût pour les explosions d'images, beaucoup de fureur et de sons.

La critique française lui reproche son style « à l'américaine ». Américain, lui ? « Je ne sais pas ce que veut dire tourner à l'américaine. Quand on fait un film d'aventures, autrement dit un grand film, les gens disent que c'est un film américain. Comme *Léon*, qui a connu un succès phénoménal outre-Atlantique, ou *Nikita,* devenu aussi une série télé. » Avec *Le Cinquième Élément*, la cinématographie de l'Hexagone lui attribue enfin un César. Citoyen du monde, Besson tourne en anglais et avec un casting international, il ne refuse pas non plus de mettre sa caméra et son génie au service de la pub. Chanel lui a confié une de ses campagnes de publicité. Son film sur Jeanne d'Arc a remporté un succès international.

[Lire et comprendre]

Dites si c'est vrai ou faux.

	V	F
1. Le rêve de Luc Besson a toujours été de faire du cinéma.	☐	☐
2. Sa première œuvre a rencontré la faveur de la critique.	☐	☐
3. Le film qui l'a lancé est *Le Grand Bleu*.	☐	☐
4. Son style est classique et traditionnel.	☐	☐
5. Il est considéré comme un cinéaste « à l'américaine » parce qu'il vit aux USA.	☐	☐
6. Il a reçu un César pour son film *Le Cinquième Élément*.	☐	☐
7. Il tourne avec des acteurs de nationalités diverses.	☐	☐
8. Il a travaillé aussi pour la publicité.	☐	☐

🎧16 Futuroscope

[À l'écoute]

1 Après avoir écouté, dites si c'est vrai ou faux.

	V	F
1. Le Futuroscope est une ville à côté de Poitiers.	☐	☐
2. L'ensemble de la cité est consacré à la technologie de l'image.	☐	☐
3. Dans le parc, il y a la plus vaste concentration au monde de salles de projection.	☐	☐
4. Toutes les projections sont visibles avec des lunettes spéciales.	☐	☐
5. Le public est partout simplement spectateur et il n'intervient jamais dans le jeu.	☐	☐

🎧17 Dôme Imax à Paris La Défense

2 Après avoir écouté, complétez les parties manquantes.

Le Dôme Imax se trouve à ...., dans le quartier de la .... qui est la ....
Il vous offre un .... de sensations. C'est un .... géant qui vous transporte au cœur de
.... et du .... Par rapport au cinéma conventionnel, l'image est .... plus
grande, avec un angle de vision à .... et un son .... Vous survolerez
..............., explorerez ...., partagerez .... de la Nasa, et vivrez tant
d'autres émotions. Vous aurez .... à revenir à la réalité.

[Et vous ?]

– Avez-vous déjà assisté à une projection dans une salle aussi spéciale que celles décrites dans ce texte ? Quelles sensations cela a-t-il provoquées en vous ?

– Existe-t-il, dans votre pays, une cité semblable au Futuroscope ? Racontez !

[Des images ? Parlons-en !]

Indiquez, pour chaque photo, la définition.

1. Une affiche.
2. Un acteur.
3. Un cameraman.
4. Un décor.
5. Un plateau.
6. Un metteur en scène (François Truffaut).
7. Le clap au début du tournage.
8. Dans la loge.

Travaillons ensemble

Travail par groupes

Vous organisez une enquête sur le cinéma. Vous voulez savoir qui va au cinéma, quels sont les goûts et les habitudes du public, quelles raisons approchent ou éloignent le public du cinéma.

Étape 1
Formez des groupes pour réaliser les interviews.

Étape 2
Définissez le public à interviewer : vous le choisirez parmi vos connaissances (camarades, famille, amis de la famille) en le divisant par tranches d'âge et en faisant attention à sonder un nombre à peu près égal d'hommes et de femmes, par exemple :
33 personnes de 14-20 ans
34 personnes de 21-30 ans
33 personnes de 31-50 ans.
Attribuez à chaque groupe un nombre défini de personnes à interviewer en précisant l'âge.

Étape 3
Vous élaborez les questions à poser sur :
– la fréquence
   1 fois par semaine, 1 fois par mois, 3-5 fois par mois, très rarement, très souvent ;
– le genre de film préféré
   d'action, d'amour, humoristique, fantastique, dessins animés ou cinéma d'animation ;
– la motivation qui détermine le choix
   un sujet, un acteur, un metteur en scène ;

– la compagnie choisie pour la sortie
   avec la famille, avec les ami(e)s, avec son copain / sa copine ;
– le jour et l'horaire
   le jour à tarif réduit, le samedi / dimanche, en semaine, l'après-midi, le soir ;
– la motivation de la sortie
   vous adorez ça, vous ne savez pas comment remplir votre temps, vous optez pour une sortie différente ;
– les raisons pour lesquelles on ne va pas au cinéma
   c'est trop cher, il y a tellement de films à la télé, vous détestez les lieux fermés.

Étape 4
Préparez une fiche pour chaque personne à interviewer et réalisez le sondage. N'oubliez pas d'indiquer le sexe et l'âge.

Étape 5
Rassemblez les résultats des différents groupes, vous devrez les élaborer, les transformer en graphique, les présenter à la classe avec un commentaire de ce genre :
« Sur la base des résultats obtenus, on va au cinéma surtout entre... et... ans, etc. ».

3 Vivement les vacances !

PARTIR SIMPLE ET PAS CHER

Partir en vacances sans devoir dépenser une fortune… c'est possible, à condition, bien sûr, de ne pas être trop exigeant sur le confort. Voici comment ...

Partir en train...

Le Pass Interrail, pour se lancer à l'aventure à travers 29 pays de l'Europe + le Maroc et la Turquie. Mythique ! Il a permis à des générations d'ados (dont probablement aussi vos parents) de s'émanciper à bon marché des vacances-corvées avec papa et maman. Possibilité de faire plusieurs étapes mais en un temps limité. Équipement indispensable : sac à dos et sac de couchage. Pour la nuit, se munir d'une liste des Auberges de Jeunesse. Les repas… bon, il faut s'en accommoder !

www.sncf.fr

[Partez à la découverte]

Allez sur le site de la SNCF et trouvez les réponses aux questions suivantes.

a. Quel est le prix du Pass Interrail pour l'année en cours ?

b. Quelles sont les conditions d'utilisation (temps de validité, restriction d'horaire ou de type de train, etc.) ?

c. Peut-on l'acheter et l'utiliser à plusieurs ?

d. La SNCF propose-t-elle d'autres solutions avantageuses pour les jeunes ? Lesquelles ?

e. Elles sont plus ou moins intéressantes que l'Interrail pour partir en vacances ?

[Et vous ?]

Le train est-il votre moyen de transport idéal ?

– Vous trouvez que le train est ....

– Vous aimez / détestez le train parce que ....

– D'habitude vous prenez le train pour ....

– Vous gardez un excellent / terrible souvenir d'un voyage en train. C'était ....

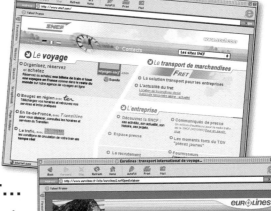

Partir en car...

Un service régulier de cars de tourisme sillonne l'Europe en toute saison. Ce n'est pas toujours moins cher, ni plus confortable que le train mais c'est peut-être plus sûr : l'espace réduit permet un meilleur contrôle de la part du personnel.

www.eurolines.fr

[Partez à la découverte]

Visitez le site et dites

– quelles sont les destinations les plus éloignées que vous pouvez atteindre.

– s'il y a une ville desservie par ce service près de chez vous.

– quel est le prix de chez vous à Paris, aller simple et aller / retour. Ce prix est-il plus ou moins intéressant que si vous faisiez le même trajet en train ?

– quelle est la fréquence des départs (journalière, hebdomadaire, etc.).

[Et vous ?]

Faites une comparaison entre le car et le train

– en mettant en évidence les avantages et les inconvénients.

– dites si vous avez déjà fait un long voyage en car (voyage scolaire, par exemple) et quelles impressions vous en avez gardées.

Partir en stop...

C'était l'habitude pour les générations hippies des années 70, mais c'était le bon vieux temps et on pouvait même faire des rencontres sympas. De nos jours, c'est plutôt à déconseiller ... il y a tellement de fous qui se baladent en liberté au volant. En tout cas, si vous ne pouvez pas éviter, ne partez jamais seuls et adressez-vous aux associations qui regroupent les annonces et organisent le covoiturage. C'est un peu plus rassurant.

[Et vous ?]

- – Choisiriez-vous de faire un voyage en stop ? Pourquoi ?
- – On ne voit pas beaucoup de gens qui attendent, le pouce en l'air, le long d'une route. Pourquoi ?
- – Lorsque vous voyagez en voiture, vos parents s'arrêtent-ils pour prendre à bord quelqu'un qui fait du stop ? Pourquoi ?
- – Que feriez-vous à leur place ?

Partir à vélo...

Frais de déplacement réduits à zéro, mais ne vous laissez pas tenter si vous n'avez pas mollets et poumons bien entraînés. N'oubliez pas non plus de choisir votre itinéraire en fonction de votre endurance : la moindre descente implique une montée et cela demande un effort ! En ce sens, des pays tels que le Portugal ou la Grèce seraient plutôt à éviter (nous les avons testés !). Optez plutôt pour les Pays Bas ou la Camargue.

[Et vous ?]

- – Avez-vous un vélo ? Si oui, quand et comment vous en servez-vous ? Sinon, pourquoi ?
- – Le vélo est pour vous un moyen de transport, un sport, un jeu pour enfant, un compagnon inséparable ?
- – Quel est le trajet le plus long que vous avez fait à vélo ?
- – Partiriez-vous en vacances à vélo ? Pourquoi ? Seuls ou en compagnie ? Jusqu'où seriez-vous capables d'aller ?

CES JOURS DE SÉJOUR

Séjours linguistiques

Il y a des pour et des contre… à vous de juger et de choisir par la suite.

En général, les parents les financent volontiers parce qu'ils les considèrent comme une sorte d'investissement pour l'avenir de leurs enfants, mais ils rouspètent à cause des prix parfois excessifs. Ambiance extra (ce sont quand même des vacances !), cours de langue tous les matins (on avait dit vacances ?), activités diverses l'après-midi et le soir. Mais, en dehors de la surveillance des profs, on se retrouve souvent entre copains du même pays et la langue étrangère en souffre un peu. Accueil en résidence universitaire ou en famille. Séjours de groupe toujours encadrés.

[Partez à la découverte]

Renseignez-vous auprès de vos professeurs de langues ou bien lancez une recherche sur le web.

- Quels pays offrent le plus grand nombre de centres de séjour ?
- Quelle est la durée moyenne d'un séjour linguistique ?
- Quelles activités propose-t-on ?
- Établissez une grille pour comparer l'offre (même époque et même durée) dans trois pays différents. Quels « produits » et à quels prix ?
- Y a-t-il des offres spéciales ou des bourses ? Quelles conditions doit-on satisfaire pour y accéder ?

[Et vous ?]

Si vous avez déjà participé à un séjour linguistique à l'étranger

- quel jugement pouvez-vous en donner ?
- quel profit en avez-vous tiré ?
- quels conseils pouvez-vous donner à un / une camarade qui voudrait choisir cette option ?

Chantiers bénévoles

Sauf quelques chantiers juniors (13-17 ans), la majorité sont réservés aux + de 18 ans. Il faut adhérer à une association, se munir d'une assurance et prendre en charge les frais de voyage. On doit assurer des heures de travail (jusqu'à 35 h/semaine) dans des secteurs très variés : fouilles archéologiques, aides humanitaires, construction ou restauration de sites en pays défavorisés ou sous-développés, sauvegarde de l'environnement, etc. En revanche, on est nourri-logé et on vit en communauté. Fatigant, mais ça peut être très sympa et, en outre, ça fait du bien de se sentir utile.

www.volontariat.org
www.concordia-association.org

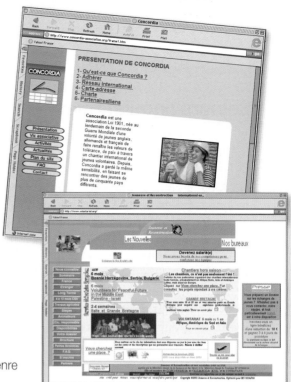

[Et vous ?]

– Que pensez-vous de ce genre de vacances ?
– Connaissez-vous quelqu'un qui en a déjà fait l'expérience ?
– Le bénévolat est pour vous un engagement gratifiant ? Pourquoi ?
– Si cela vous tentait, vous choisiriez de travailler dans le social, l'écologie, l'archéologie ou quoi d'autre ?

Au pair

Vous êtes très jeunes et vos parents ne vous laisseraient jamais partir chez des inconnus… Cherchez alors parmi vos connaissances (ou les leurs !) : vous trouverez bien un jeune couple avec enfants. Proposez-vous comme baby-sitter. Avant de partir, négociez le temps et la nature de votre travail (une petite aide dans le ménage peut être demandée) ainsi que votre argent de poche mais, surtout, ne partez pas sans avoir passé au moins un après-midi avec les enfants en question (il y en a de vraiment pas faciles !).

Pour les plus âgé(e)s, plusieurs agences offrent des contacts avec des familles à l'étranger. C'est aussi un bon entraînement linguistique, mais attention aux clauses du contrat, évitez tout ce qui sent la galère !

www.phosphore.bayardweb.com
www.cidj.asso.fr

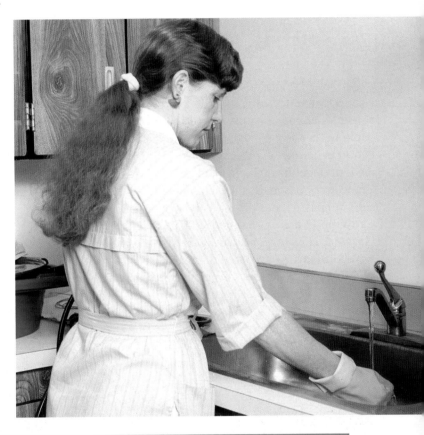

[Et vous ?]

– Savez-vous vous amuser avec les enfants, inventer des jeux, raconter des fables ? Ou bien les considérez-vous comme de petits casse-pieds ?

– Avez-vous déjà une expérience dans ce secteur ?

– Quels peuvent être les avantages et les inconvénients d'un séjour au pair ? Classez-les dans la grille ci-dessous.

Avantages	Inconvénients

À la rentrée ... bonjour les dégâts !

Bains de soleil associés aux bains de mer ou, pis encore, de piscine, c'est bon pour la détente mais cela risque de laisser des traces sur la peau et sur les cheveux : peau déshydratée, altération de la mélanine, fibre capillaire desséchée. Les conséquences ne sont pas agréables et vous risquez de vous retrouver à la fin des vacances avec la peau tachée et une botte de paille sur la tête. La peau, disent les spécialistes, garde le souvenir de ce qu'elle a enduré.

Faut-il éviter de s'exposer au soleil ? Faut-il cacher sa chevelure sous un bonnet même à la mer ? Peut-on se protéger de quelque manière ?

On ne dirait pas mais, s'il y a les fanatiques du bronzage en toute saison, il y a aussi de plus en plus de gens qui passent des heures à la plage sous le parasol pour ne pas bronzer.

Caroline, 15 ans : « *Moi, je tiens à ma peau blanche et je déteste les marques du maillot de bain, je trouve ça ridicule de bronzer par morceaux. Le soleil intégral ? C'est exclu ! Ça fait plein de petites rides partout.* »

Nadia, 16 ans : « *La plage est comme un énorme grill. J'ai attrapé une fois un coup de soleil, j'en ai été tellement malade que je n'ai jamais plus recommencé. Non, si je ne peux pas éviter de m'exposer au soleil, je mets une crème à protection totale, comme les enfants.* »

Fanny, 15 ans : « *Je suis rousse et je vous laisse imaginer les effets du soleil sur mon visage : je deviens un petit monstre. Quelle horreur ! Le bronzage c'est bon pour les adultes qui se croient en forme.* »

[Des mots pour le dire]

Barrez les intrus.

1. Pour protéger les cheveux on utilise : un baume / une paume / un shampooing rinçant.
2. La mélanine est : un pigment / un piment / une maladie de la peau.
3. Sur les cheveux, le chlore et le sel ont un effet : protecteur / oxydant / cassant.
4. Après un bain de mer il est conseillé de se grincer / se sécher / se rincer à l'eau claire.
5. Les rayons solaires nocifs sont les : UVS / UV / HV.
6. Les spécialistes de la peau sont les : dermatologistes / dermatologues / dermatologiens.
7. Les cheveux poussent sur : le cuivre chevelu / le cuir velu / le cuir chevelu.

[Et vous ?]

Donnez votre opinion sur le sujet.

– Vous êtes pour le bronzage à tout prix ? Et pour le bronzage intégral ? Pourquoi ?

– Que pensez-vous du bronzage artificiel ?

– Trouvez-vous que, vraiment, l'eau, le sel et le soleil sont mauvais pour la peau et les cheveux ?

– Prenez-vous des précautions pour vous protéger de ces méfaits de l'été ?

Et le cœur ?

Amours, amourettes. L'été, c'est bien la saison des coups de foudre. On se voit, on se plaît, on s'aime à la folie, on devient inséparables. C'est si bon ! Mais les vacances passent vite. Tout se joue sur deux, trois semaines et hop ! Le présent se transforme aussitôt en souvenir : des photos, un coup de fil, des messages, peut-être quelques lettres. Des kilomètres entre vous deux, chacun rentre dans sa normalité, deux mondes aux antipodes. Cœur déchiré (« Jamais plus je n'aimerai quelqu'un avec la même intensité ») ou esprit soulagé (« C'était bien, mais ça ne pouvait pas durer. »), qu'est-ce qui reste des amours de vacances ?

[Et vous ?]

1 Ouvrez un débat en classe, interviewez vos copains et copines, ou réfléchissez en solitude si la blessure est encore ouverte et que ça fait mal. À vous la parole.

– Pourquoi l'été et pas une autre saison ?
– Fidélité ou infidélité ? Si on n'a pas le cœur vraiment libre, on « se libère » le temps des vacances… C'est juste, injuste, trop facile, lâche…
Qu'en pensez-vous ?
– Les garçons et les filles réagissent-ils de la même manière ?

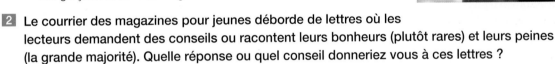

2 Le courrier des magazines pour jeunes déborde de lettres où les lecteurs demandent des conseils ou racontent leurs bonheurs (plutôt rares) et leurs peines (la grande majorité). Quelle réponse ou quel conseil donneriez vous à ces lettres ?

J'ai 15 ans, une famille qui m'aime et que j'aime et pas de problème vraiment grave. Et pourtant je suis si malheureuse. À cause d'un mec[1] en qui je croyais et qui n'a même pas attendu la fin des vacances pour se montrer avec la première fille qu'il a rencontrée sur la plage. C'est dégoûtant. Ils sont tous pareils, les mecs. Ils veulent tout et tout de suite. Et moi qui croyais qu'il était différent !

Alice

Les nanas[2], elles veulent la passion à tout prix. Si on n'est pas un super mec, rien à faire. Elles sont perfides et menteuses. On était ensemble depuis un an et on faisait des projets. Elle m'a plaqué juste avant les vacances parce qu'elle voulait être libre. Je ne crois plus en l'amour parce qu'il ne dure pas.

Philippe

1. *Mec* : garçon, homme, individu (fam.)
2. *Nana* : fille, femme (fam.)

LES TOURISTES SONT SYMPAS MAIS...

Le tourisme est une mode des temps modernes. Aux XVIIIe et XIXe siècles, c'était un luxe réservé aux élites qui avaient le temps et l'argent pour voyager et faire de longs séjours loin de la résidence principale. Les touristes étaient des aristocrates et de riches bourgeois des pays du Nord (surtout Anglais et Russes) qui fuyaient le climat froid et humide de leurs pays pour passer l'hiver dans les stations balnéaires de la Manche, de l'Atlantique et surtout de la Côte d'Azur. Eh oui, c'était en hiver que Nice, Cannes, Biarritz, ou Deauville recevaient les riches étrangers dans des villas et des hôtels somptueux, dans les casinos où se brûlaient des fortunes.

Avant l'invention du chemin de fer, les déplacements étaient longs et inconfortables : il fallait plusieurs jours pour aller de Londres à Nice à bord d'une diligence traînée par des chevaux. Le train bouleverse le concept de voyage et en réduit les temps. De nos jours, il ne faut que trois heures de TGV pour aller de Paris à Marseille !

À partir de 1936, l'institution des congés payés transforme le tourisme en un phénomène de masse qui se concentre dans les mois d'été : l'industrie des vacances devient une des plus performantes de l'économie française.

Depuis quelques années, l'incroyable expansion de la société des loisirs fait exploser le nombre de touristes : les séjours sont plus courts mais les vacances n'ont plus de saison : les voyages sont de plus en plus fréquents et les destinations de plus en plus éloignées.

Au niveau mondial, en 1950 on comptait 25 millions de touristes, ils étaient environ 250 millions en 1980, presque 700 en l'an 2000 et pour 2020 on prévoit 1,6 milliard de personnes qui se baladent sur la planète.

De quoi se réjouir ou de quoi s'inquiéter ?

Cette poule aux œufs d'or risque de provoquer des dégâts irréversibles, c'est pourquoi on s'interroge sur la manière de maîtriser le flux de la foule. Plusieurs villes d'art introduisent un ticket d'entrée aux portes de la cité ; les sites les plus anciens et « délicats » interdisent l'accès aux voitures, les touristes doivent ainsi parcourir de longs trajets à pied ; certains pays imposent des prix exorbitants afin de dissuader les visiteurs.

Le Pont du Gard

Un exemple des mesures adoptées pour un « tourisme durable ».

Parmi les sites romains les mieux conservés, cet aqueduc du Ier siècle après J.-C. attire les visiteurs à la journée, les amateurs du camping sauvage et du camping-car. Pour contenir ce tourisme indiscipliné et parfois peu respectueux des limites, les parkings sont placés à 600 mètres du site. Le tarif pour se garer la nuit est d'environ 40 euros.

Comment protéger les forêts naturelles aux USA ?

Plusieurs états, dont la Californie, ont adopté une mesure simple et efficace : un accès payant à la journée, environ 6 dollars. La fréquentation a baissé jusqu'à 30%.

[Lire et comprendre]

1 Dites si les affirmations suivantes sont vraies ou fausses.

	V	F
1. Le tourisme reste un phénomène d'élite.	☐	☐
2. Pour les riches hivernants, des villas, des hôtels et des casinos ont été construits.	☐	☐
3. L'essor du tourisme est lié au développement des transports.	☐	☐
4. Entre 1950 et 1980 le flux touristique a décuplé.	☐	☐
5. Il est impossible de faire des prévisions pour l'avenir.	☐	☐
6. Tous les moyens sont mis en place pour attirer les foules.	☐	☐
7. La « poule aux œufs d'or » est une source de gain rapide.	☐	☐
8. La politique adoptée dans certains lieux est très démocratique.	☐	☐
9. Les prévisions de développement du tourisme sont inquiétantes.	☐	☐
10. Au Pont du Gard le camping est interdit.	☐	☐
11. Les grandes foules détruisent les richesses naturelles.	☐	☐

2 Réfléchissez autour du thème…

…les raisons du succès :
plus grande disponibilité d'argent
plus de temps à sa disposition
plus vaste culture
ouverture d'esprit
soif de savoir, curiosité
travail, études
mode

1. Ce que le touriste demande	2. Ce que le tourisme apporte

Amélioration du cadre de vie / Amusements / Bonne table / Calme et détente / Confort
Culture et connaissance / Dépaysement / Graffitis et vandalismes divers
Montagnes d'ordures / Nouvelles rencontres / Repeuplement de zones abandonnées
Revalorisation de sites / Saccage de la nature / Urbanisation sauvage

Remplissez la grille en utilisant les suggestions ci-dessus selon l'importance (colonne 1) ou la gravité (colonne 2) que vous attribuez à chaque élément.

3 En utilisant les suggestions ci-dessus, rédigez un texte illustrant les raisons de l'essor du tourisme dans cette dernière décennie.

[Des mots pour le dire]

Remettez dans l'ordre ce bref lexique de l'hébergement en vacances.

1. Sa qualité et son confort se mesurent en étoiles...
2. Simple et pas chère, destinée aux jeunes touristes...
3. Maison en miniature traînée par la voiture...
4. En tissu imperméable, de formes et dimensions diverses...
5. Logement rustique à la ferme ou en famille...
6. Véhicule aménagé en petite maison sur roues...

la caravane
le camping-car
le gîte rural / gîte d'étape
l'hôtel
l'auberge de jeunesse
la tente

[Et vous ?]

– Où allez-vous en vacances ? Toujours au même endroit ou bien changez-vous chaque année ?
– Que cherchez-vous en vacances : les activités sportives, les visites culturelles ou bien les longues journées de « farniente » sur la plage ?
– Quel moyen utilisez-vous pour partir en vacances ? Pourquoi ? Avec quels avantages ou quels inconvénients ? Justifiez votre réponse.

Femmes de Tahiti sur la plage, 1891, Paul Gauguin.

⟨18⟩ L'exotisme à tout prix

⟨19⟩ Le paradis chez nous ?

[À l'écoute]

1. Où se trouve la Polynésie française ? Comment se présente-t-elle ? Comment est-elle rattachée à la France ? Qui y a séjourné ?
2. Pour quelles circonstances les tours-opérateurs proposent-ils ce voyage ?
3. Où est-il possible de trouver en France un paysage aussi beau qu'un paradis exotique ?
4. Qu'est-ce qui modifie le profil de ces lieux et de quelle manière ?
5. Quel est le rôle des huîtres ?

[À l'écoute]

1. Cet article veut
   a. sensibiliser les vacanciers à la nécessité de participer à la propreté des plages.
   b. attribuer aux vacanciers la responsabilité de la saleté des plages.
   c. faire le point sur l'état lamentable de la planète.

2. Le service du littoral est chargé de
   a. l'organisation de l'opération « Nettoyage ».
   b. nettoyer périodiquement les plages.
   c. sensibiliser les pays de l'Europe à la propreté des mers.

3. Les organisations écologistes
   a. réunissent des gens qui sont payés pour ramasser les déchets.
   b. réunissent les travailleurs des services du littoral.
   c. font un travail de titan.

4. Parmi les objets abandonnés sur les plages
   a. il n'y a pas d'objets métalliques.
   b. il y a, entre autres, beaucoup de mégots de cigarettes.
   c. il n'y a pas de produits alimentaires.

5. Les détritus
   a. n'encombrent que les plages.
   b. sont tous emportés au large.
   c. flottent aussi au large.

6. La responsabilité
   a. ne revient qu'aux vacanciers.
   b. revient aux professionnels de la mer.
   c. n'est pas imputable au seul comportement humain.

7. Pour améliorer les choses il faut
   a. ne pas salir et produire moins de déchets.
   b. convaincre les industries de modifier leurs comportements.
   c. obliger la collectivité à ramasser ses déchets.

8. À Dieppe
   a. la quantité de déchets est telle qu'on a pu remplir une salle d'exposition.
   b. la variété des déchets permet une exposition par secteur commercial.
   c. les déchets sont exposés à l'arsenal.

Opération Paris-plage

À tous les Parisiens qui ne sont pas partis en vacances, la Mairie de Paris a réservé une surprise de taille : des tonnes de sable transportées sur les berges ont transformé les bords de Seine en une jolie plage, un espace entièrement dédié au « farniente » et à la détente. Seule ombre au tableau : il n'est toujours pas question de se baigner dans la Seine. M. Delanoë n'a pas pu satisfaire les Parisiens en mal de baignades, toutefois, d'ici la fin de son mandat, le maire prévoit la construction de deux piscines flottantes, découvertes l'été et couvertes l'hiver. La répartition des différentes animations a fait l'objet d'une scénographie créant une mini-station balnéaire au cœur de la capitale. Cette initiative innovante a fait de Paris-plage une manifestation conviviale qui a obtenu le plus grand succès auprès du public.

Seul jour de fermeture : le jour de l'arrivée du Tour de France.

Animations

Danseurs, clowns, échassiers, jongleurs, conteurs, musiques de tous genres, initiation des jeunes à la pêche et à la pétanque, réalisation d'une fresque murale de 140 mètres de long.
Voici comment le bulletin de l'Office de Tourisme de Paris annonce l'initiative de l'été 2002 :

> Tous les jours, du 21 juillet au 18 août, à partir de 9h30, le programme est intense : animations culturelles, sportives et ludiques, des espaces de jeux pour les enfants, en libre accès ou avec encadrement. Pendant ce temps, les parents peuvent s'installer aux terrasses des cafés qui descendent sur les quais en bord de Seine. À l'abri des voitures, les enfants s'amusent tranquillement au bord de la Seine, au milieu des palmiers et des parasols.
>
> C'est une étonnante première à Paris : le sable recouvre le béton tout en laissant de la place aux rollers, aux piétons et aux vélos (location sur place). Le soir, les péniches amarrées diffusent accordéon ou techno. Les quais restent accessibles la nuit pour les promeneurs noctambules. Une signalétique spéciale indique aux automobilistes les itinéraires de remplacement.

[Lire et comprendre]

1 **Choisissez la définition qui convient.**

1. Qu'est-ce que la Mairie de Paris ?
   a. Le siège de l'administration de la ville.
   b. La direction des services touristiques de la ville.
   c. Le Comité des Fêtes de la ville.
2. Les Parisiens en mal de baignades sont ceux qui
   a. souffrent du mal de mer.
   b. ne veulent pas se jeter dans la Seine.
   c. ne peuvent pas satisfaire leur envie de nager.

3. Location sur place signifie que
   a. chacun peut porter son vélo.
   b. des vélos sont disponibles contre paiement d'une somme.
   c. le soir, les vélos peuvent être laissés sur place.
4. Les berges de la Seine sont
   a. les parkings situés face à la Seine.
   b. des sentiers de promenade au bord du fleuve.
   c. les voies qui courent le long de la Seine.
5. Les péniches sont
   a. des appareils acoustiques pour les manifestations en plein air.
   b. des salles de spectacle installées sur le fleuve.
   c. des bateaux à fond plat qui naviguent sur les fleuves.
6. Dans le texte, un échassier est
   a. un oiseau migrateur aux pattes minces et très longues.
   b. un artiste qui évolue sur deux longs bâtons attachés à ses pieds.
   c. un chasseur expérimenté, chargé d'initier les jeunes à la chasse.

2 Complétez avec les données contenues dans la fiche technique.

a. Une « riviera » longue de ....

b. On a le choix entre la plage de .... ou celle de ....

c. Pour s'étendre au soleil, on s'allongera sur un .... à l'ombre d'un .... ou d'un ....

d. On peut se désaltérer dans une des ....

e. Il est difficile de se promener au milieu des .... personnes qui se pressent sur les lieux.

> ### FICHE TECHNIQUE
>
> Trois kilomètres de quais entre les Tuileries et le Quai Henri IV.
>
> Quatre plages (deux de sable et deux de pelouse), 80 palmiers, 300 transats, 150 parasols, quatre buvettes.
>
> Accueil chaleureux le dimanche de l'inauguration : entre 500 000 et 650 000 personnes se sont pressées sur « Paris-Plage ».

[Des mots pour le dire]

Barrez les réponses incorrectes.

1. La manifestation est une « première ». Savez-vous dire ce qu'indique cette expression venant du monde du spectacle ?
   Le classement dans l'appréciation du public / la première représentation / le prix reçu.

2. « Il n'est pas question de se baigner » signifie que
   on se demande si on peut se baigner / personne ne vous demande si vous voulez vous baigner / il est impossible de se baigner.

3. Clowns, échassiers, conteurs, jongleurs…, ces artistes pratiquent tous un art populaire et ancien, lequel ?
   Le théâtre comique / la commedia dell'arte / le théâtre de rue.

4. Les instruments des jongleurs comprennent
   Balles, massues, bâton du diable, diabolo / bulles, quilles, cailloux, torchons / cerceaux, échassiers, tricycle, ballon.

5. L'étape finale du Tour de France arrive toujours sur la plus célèbre des avenues parisiennes : c'est
   la rue de Rivoli / l'avenue des Champs Élysées / l'avenue de la Grande Armée.

6. Les « artistes métropolitains » couvrent les murs de mots incompréhensibles. Comment s'appellent ces « hiéroglyphes » ?
   Tags / bugs / slides.

Voyager dans le temps et dans l'espace

Nous avons tous une certaine familiarité avec les univers parallèles, le voyage à rebours dans le temps, les trous noirs, la téléportation dans un espace futur, ami ou hostile. Nous savons qu'un jour le monde ressemblera à un film de science-fiction. Ce genre littéraire et cinématographique, apparu voilà une centaine d'années, a fait rêver des générations entières.

Les inventions de cette littérature se concrétisent dans le monde réel à un rythme rapide. Des œuvres mythiques de Jules Verne aux incroyables décors imaginés par Isaac Asimov, ce qui nous semblait impossible il y a vingt ans, fait son apparition dans notre quotidien : voyages dans l'espace, robots de tout genre, manipulation génétique, clonage, intelligence artificielle, sans compter les objets que nous utilisons tous les jours (fax, téléphones portables, ordinateurs, etc.). On sait désormais comment téléporter les êtres, mais pas encore comment les reconstituer, à l'arrivée, tels qu'ils étaient au départ. On sait en théorie comment défier le temps et l'espace, mais les machines restent à inventer !

La science-fiction ne prétend pas prédire l'avenir.

Les auteurs de SF ne se préoccupent pas de la crédibilité de leurs œuvres ; ils s'inspirent seulement des images déformées de la réalité. Les erreurs scientifiques ne manquent pas et c'est peut-être là une raison pour considérer la SF comme un genre littéraire mineur mais les rapports science-fiction / littérature sont fréquents. C'est d'ailleurs le tchèque K. Capek, auteur de théâtre, qui a inventé le mot robot (de *robota* : « travail forcé ») pour désigner des « ouvriers artificiels ». Ce terme s'applique aujourd'hui à toute machine qui remplace le travail humain.

Entre-temps aux États-Unis, où l'absurde devient souvent réalité, il est déjà possible, via Internet, d'acheter un lot de terrain sur la lune, de réserver sa place pour un voyage dans l'espace, ou de se faire congeler dans l'azote liquide dans l'espoir que la science trouvera vite le moyen de ressusciter les corps en hibernation.

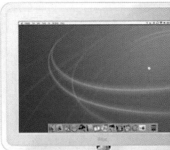

[Lire et comprendre]

1. Qu'est-ce que la science-fiction ? Quand est-elle née ?
2. Pourquoi est-elle considérée comme un genre littéraire mineur ?
3. Est-elle vraiment très loin de la réalité ?
4. Aux États-Unis ou via Internet, des choses incroyables sont déjà possibles ; lesquelles ?

[Des mots pour le dire]

Faites une liste de tous les mots ou expressions du texte qui s'insèrent dans un décor de science-fiction et essayez d'en donner une définition.

[Et vous ?]

– Êtes-vous des passionnés de SF ? Préférez-vous la version littéraire ou cinématographique ? Pourquoi ?

– Connaissez-vous les deux auteurs cités dans le texte ? Avez-vous lu quelques-unes de leurs œuvres ou vu les films qui s'en sont inspirés ? Sinon, quel est votre auteur ou film préféré ?

– Les films de SF les plus récents tendent-ils à préfigurer un avenir plutôt rassurant et paisible ou plutôt violent et inquiétant ? Pourquoi, à votre avis ? Croyez-vous que l'avenir sera ainsi ?

– Comment réagissez-vous devant certaines réalisations scientifiques qui nous rapprochent du monde de la SF (clonage, manipulation génétique, engins spatiaux, etc.) ?

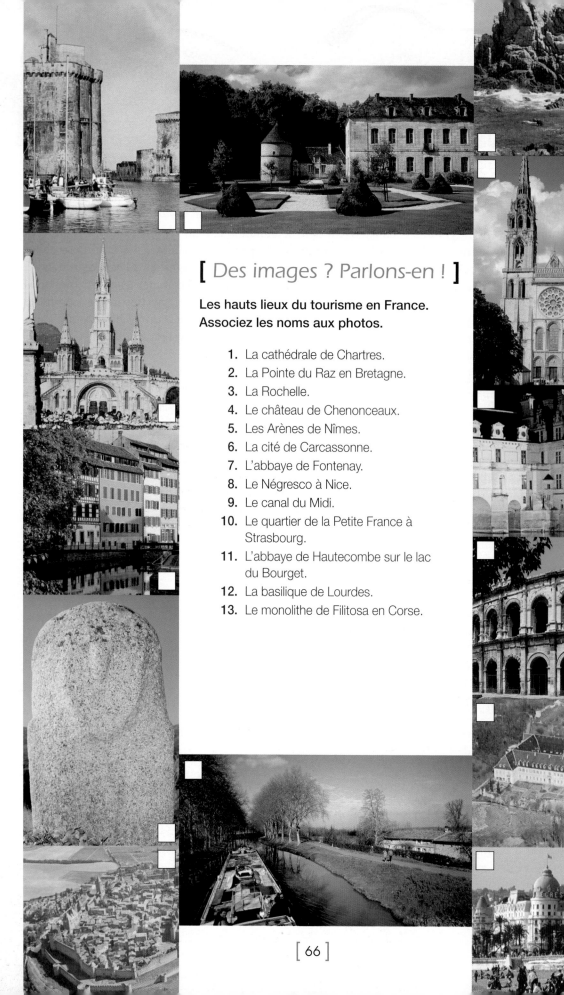

[Des images ? Parlons-en !]

Les hauts lieux du tourisme en France.
Associez les noms aux photos.

1. La cathédrale de Chartres.
2. La Pointe du Raz en Bretagne.
3. La Rochelle.
4. Le château de Chenonceaux.
5. Les Arènes de Nîmes.
6. La cité de Carcassonne.
7. L'abbaye de Fontenay.
8. Le Négresco à Nice.
9. Le canal du Midi.
10. Le quartier de la Petite France à Strasbourg.
11. L'abbaye de Hautecombe sur le lac du Bourget.
12. La basilique de Lourdes.
13. Le monolithe de Filitosa en Corse.

Travaillons ensemble

Travail par groupes

À vous de partir, maintenant !

Étape 1

Constituez 4 groupes ; chacun choisira une destination et un mode de séjour différents.

Groupe 1 : séjour dans un chantier de travail en France.

Groupe 2 : séjour au pair en France.
Lancez une recherche sur Internet.
Sélectionnez au moins trois propositions, comparez-les avant de fixer votre choix.
Organisez votre voyage pour la destination choisie ; prévoyez tous les frais que vous devrez supporter et les activités complémentaires que vous pourrez organiser (visites, sorties, etc.).

Groupe 3 : voyage en train à travers la France en utilisant la carte Interrail.

Groupe 4 : voyage à travers la France en car.
Procurez-vous une carte routière de la France, un guide ou le catalogue d'une agence de voyages ; les photos vous guideront dans le choix des étapes de votre voyage.
Établissez votre itinéraire en fonction du moyen de transport choisi (au moins 4 villes importantes et quelques sites naturels intéressants).
Précisez la durée de votre voyage, le mode et les frais d'hébergement, les activités et les visites.

Étape 2

Chaque groupe devra envoyer une demande de documentation à l'Office de Tourisme des grandes villes pour obtenir du matériel sur lequel travailler. En alternative, toutes les informations utiles peuvent s'obtenir rapidement en ligne.
www.yahoo.fr ou www.google.fr

La lettre de demande sera rédigée comme suit :
Monsieur,
je vous serais obligé(e) de m'envoyer une documentation complète pour préparer un voyage dans votre région : sites à visiter, hébergement (hôtels, auberges de jeunesse, campings), restaurants, fêtes.
En vous remerciant d'avance, je vous prie d'agréer, Monsieur, mes salutations distinguées.
(signature)

Étape 3

Mise en commun
Chaque groupe prépare un dossier illustré et le présente à la classe qui devra évaluer :
– quel est le travail le plus complet et détaillé
– quelle proposition présente le meilleur rapport qualité-prix
– quelle est la proposition la plus intéressante ou attrayante.

4 Miroir mon beau miroir

Poudre

Démaquillant

L'art de la séduction

La séduction est un rituel qui répond à des règles bien précises. C'est un ensemble de gestes et d'expressions fugaces, parfois même inconscients, qui appartiennent instinctivement à toute la race humaine et qui sont donc partagés sous toutes les latitudes. Ces affirmations sont le résultat des recherches des éthologues, des spécialistes qui étudient les comportements. Ils ont observé et analysé les humains en scrutant et en répertoriant tous les messages sans paroles que deux personnes s'échangent dans le jeu de la séduction.

Mascara

Crayon

Anti-rides

« Belle Marquise, vos beaux yeux me font mourir d'amour ». (Molière)

Le bourgeois gentilhomme (Molière).

75% des fois, ce sont les femmes qui prennent l'initiative et se lancent dans le ballet destiné à attirer l'attention du mâle. Elles sont plus hardies, plus déterminées et surtout plus habiles dans l'emploi de l'instrument privilégié de la communication silencieuse : le regard. Une véritable arme à double tranchant, qui frappe à chaque coup. Un regard, de quelque nature qu'il soit, ne laisse jamais indifférent. Et les femmes de tous âges le savent, puisque les yeux font l'objet d'un maquillage attentif. Pour établir le contact, 3 ou 4 secondes avec les yeux rivés sur l'objet du désir sont amplement suffisantes. On détourne les yeux, puis on jette un nouveau regard fugitif accompagné d'un sourire, parfois d'un mouvement des cheveux. C'est la tactique du questionnement : « tu m'intéresses, qu'en dis-tu ? »

Attention, les filles, les mecs sont distraits et tombent parfois des nues, ils peuvent ne pas s'apercevoir immédiatement de vos attaques. Mais une fois alertés, ils répondront, c'est presque sûr : 5 secondes, pas plus, pour vous dire « pourquoi pas ? »

Selon le degré de timidité, ils joindront un sourire, un mouvement des sourcils, quelques pas dans votre direction.

À ce point, la femme joue l'indifférence, elle regarde ailleurs, reprend la conversation ou le travail interrompus un instant, mais si elle est vraiment intéressée, elle reviendra sur sa proie moins d'une minute plus tard.

Quelques règles du jeu

Mesurez bien votre temps, un premier regard qui dure plus de 5 secondes est généralement perçu comme une menace ; ces messages visuels ont une portée moyenne de 30 mètres, vous les lancez à vos risques et périls !

Si votre cible réagit par un sourire et met les sourcils en accent circonflexe, vous avez presque gagné. Vous n'aurez plus qu'à regarder droit dans la prunelle de ses yeux : chez les deux sexes, le coup de foudre provoque la dilatation des pupilles.

Le pas suivant est le mouvement vers l'autre. Et cette fois on ne baissera plus les paupières : les amoureux passent 75% à 100% du temps à se regarder dans les yeux, alors que dans un contexte communicatif normal l'échange « oculaire » ne prend que 60% du temps total !

À quoi s'attendre après ?

L'exploration, de part et d'autre, se prolonge discrètement sur le reste du corps. Lorsque la mèche est allumée, les voix, les gestes, les goûts des deux amoureux s'harmonisent. La moindre hésitation de la part de lui est perçue par elle comme un signal inquiétant. Et parfois cela résulte irritant pour les hommes. Il faut s'y faire ; cette perception aiguë est tout à fait naturelle chez les femmes qui ont une longueur d'avance sur les hommes dans la communication non verbale puisque, depuis la nuit des temps, elles ont appris à décoder le langage sans mots de leurs bébés.

[Lire et comprendre]

Après avoir lu attentivement, complétez les phrases suivantes.

1. La séduction est un art qui repose sur ....

2. Les gestes et les expressions sont les mêmes ....

3. Les spécialistes du comportement sont les ....

4. Leur attention se concentre sur les messages ....

5. L'instrument principal de la séduction est .... souvent accompagné du ....

6. De cette manière on peut exprimer ....

7. Dans la communication .... les femmes ont une perception plus .... que les hommes.

[Des mots pour le dire]

1 Associez chaque expression à sa définition.

1. Une arme à double tranchant
2. Avoir les yeux rivés sur quelque chose
3. Un mec
4. Tomber des nues
5. Jouer l'indifférence
6. À vos risques et périls
7. La mèche est allumée
8. Il faut s'y faire
9. Avoir une longueur d'avance
10. Depuis la nuit des temps

a. réaction de surprise devant un fait inattendu.
b. devoir s'adapter à quelque chose de désagréable.
c. les choses se sont mises en route.
d. cela a toujours été comme ça.
e. être plus fort, avoir un avantage.
f. faire semblant de ne pas être intéressé.
g. vous prenez la responsabilité des conséquences.
h. les résultats peuvent se retourner contre vous.
i. (fam.) homme, individu, masculin de nana.
j. regarder avec insistance.

2 Réemployez les expressions ci-dessus dans un contexte différent.

1. Il m'a toujours dit qu'il m'aimait ; je .... lorsque je l'ai rencontré avec sa fiancée.
2. Cet enfant est un génie ; en classe il .... sur tous les autres.
3. La situation ne pourra pas changer, il ....
4. Inutile de ...., je sais que cette affaire vous tient très à cœur.
5. Je vous ai prévenus ; si vous le faites, ce sera ....
6. Bien sûr, tu peux demander une augmentation mais tu auras plus de responsabilité, c'est ....
7. Elle n'a pas de secrets pour moi, on se connaît....................... .

[Et vous ?]

– Qu'est-ce qui vous séduit chez un garçon / une fille ?
– Quel est votre secret pour séduire ?
– Quelle est la part des yeux dans votre jeu de séduction ?
– La séduction est-elle liée uniquement à l'aspect physique ou bien elle peut venir aussi du caractère, de l'élégance, de l'intelligence… ?

Christian Lacroix.

La mode parle français

Lorsqu'on pense à la mode, au charme et à l'élégance, inévitablement on pense à la France. Les noms les plus célèbres rivalisent à chaque saison sur les passerelles internationales : Christian Dior, Coco Chanel, Christian Lacroix, Emmanuel Ungaro, Jacques Lanvin, Pierre Cardin… La haute couture et le prêt-à-porter, enrichis aussi des talents étrangers, imposent leur style et leurs produits satellites : accessoires (sacs, chapeaux), parfums, crèmes de beauté, fards…, et aussi un lexique qui s'exporte avec la mode (papillon, fuseau, foulard, collier…).

Beauté, oui, mais laquelle ?

Au cours des siècles, la silhouette féminine oscille entre minceur et opulence.
Les Croisés rapportent du Moyen-Orient le goût pour les formes généreuses, qui éclipsent les formes graciles jusqu'à la fin du XIXe siècle. Vers 1920 arrivent les « garçonnes », femmes longilignes à cheveux courts.
La Seconde Guerre mondiale et les années 50-60, remettent à l'honneur les formes, avec Marilyn Monroe et Sophia Loren… Mais dès 1970 c'est le triomphe du mannequin Twiggy, silhouette filiforme et asexuée. L'androgynie est encore en vogue au début des années 80, où règne l'anorexique à la mâchoire anguleuse et à la silhouette osseuse.
Aujourd'hui, les rondeurs reviennent à la mode. Laetitia Casta, l'un des mannequins vedettes de L'Oréal Paris, en est l'illustration. C'est une beauté classique, fraîche, saine, féminine que beaucoup de jeunes filles cherchent à imiter.

Laetitia Casta.

[Lire et comprendre]

1. Les canons de la beauté féminine ont évolué dans le temps. D'où vient le goût pour les formes opulentes ? À quelles époques ont-elles dominé ? Quand, au contraire, la minceur a-t-elle triomphé ?
2. Quelle est la tendance actuelle ?
3. Qui incarne en France l'idéal de la beauté ? Quelles sont ses caractéristiques ?

[Des mots pour le dire]

1 Trouvez le mot exact.

1. Un complet pour femme s'appelle un ....
2. Un carré de tissu qui se met sur la tête ou autour du cou
   s'appelle un ....
3. Une tonalité de couleur s'appelle une ....
4. Le fard s'utilise pour le ....
5. Des cheveux d'une autre couleur que le reste de la chevelure s'appellent une ....

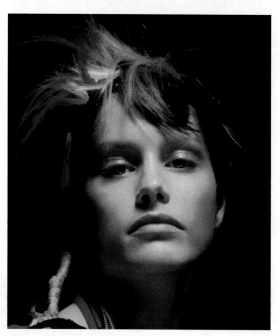

2 Il existe sûrement beaucoup d'autres mots français qui s'utilisent couramment dans votre langue, dans des contextes divers. Savez-vous en citer quelques-uns ?
Est-ce que le sens de ces mots est toujours le même en français et dans votre langue ?

[Et vous ?]

– Êtes-vous d'accord avec cette prééminence de la mode française ? Justifiez votre réponse.

– Connaissez-vous les noms des couturiers cités dans le texte ? À quel style ou à quels produits vous font-ils penser ?

– Quels sont à votre avis les canons actuels de la beauté au masculin et au féminin ?

– Quelle est selon vous la femme qui représente le mieux votre idéal de beauté ? Justifiez votre réponse.

– Tracez le portrait de l'élégance masculine et féminine : comment l'homme et la femme doivent-ils s'habiller pour être élégants ?

Les incontournables

La mode change et nous, on s'adapte. Mais, quoi qu'il arrive, nous gardons dans nos armoires ces basiques indémodables, sans âge, simples et confortables. Et, dans l'armoire, on s'aperçoit qu'hommes et femmes ont quelque chose en commun.

Tout d'abord le **jean**, sans aucun doute le vêtement le plus répandu. Un Levi's, bien entendu ! Il est né en Amérique en 1853, à l'époque de la ruée vers l'or, et porte le nom de son créateur, Levi-Strauss. Ce pantalon, fait en coton importé de Gênes (le mot « jean » vient de là), était le vêtement de travail des mineurs, des bûcherons, des chercheurs d'or et des cow-boys. Lancé dans le cinéma par des mythes d'Hollywood tels que Marlon Brando ou Marilyn Monroe, c'est le vêtement le plus démocratique puisqu'il séduit de la même manière hommes et femmes de toutes les catégories sociales et toutes les générations.

Marlon Brando.

Humphrey Bogart.

Vient ensuite la **chemise blanche**, classique et essentielle, que les femmes empruntent volontiers aux hommes mais qui ne manque pas de charme dans sa simplicité. Avec ou sans cravate, c'est un vrai passe-partout.

Par-dessus tout, l'**imper beige** pur style Humphrey Bogart dans *Casablanca* : fonctionnel, confortable, infroissable, typiquement anglais, il est devenu indispensable même quand il ne pleut pas.

Et pour les pieds ? Une paire de **tennis blanches** ou des **mocassins** en cuir, éventuellement à picots, souples et antidérapants, font encore l'unanimité chez les hommes comme chez les femmes.

Mais si on veut quelque chose de plus féminin, le twin-set fera l'affaire. Lancé par Grace Kelly, l'inoubliable interprète des films d'Hitchcock et Princesse de Monaco, qui le portait avec un foulard Hermès et un petit sac, il s'assortit aussi bien à un jean délavé qu'à une jupe.

Pour les soirées élégantes, pas la peine de chercher trop loin : une petite

robe noire, ni trop longue, ni trop courte, avec peut-être un collier de perles…, ça prouve que l'élégance va souvent de pair avec la sobriété.

Carré de soie Hermès, *Raconte-moi le cheval*, dessiné par Dimitri Rybaltchenko.

[Lire et comprendre]

Des noms célèbres sont cités dans le texte et associés à des vêtements. Lesquels ?

[Des mots pour le dire]

Repérez tous les adjectifs utilisés dans le texte pour décrire les qualités des vêtements.

   1. En général, pour tous les vêtements cités : ....
   2. Le jean : ....
   3. La chemise blanche : ....
   4. L'imper beige : ....
   5. Les tennis blanches et les mocassins : ....
   6. Le twin-set : ....
   7. La robe noire : ....

[Et vous ?]

   – Dans votre armoire y a-t-il tout ce qui figure dans le texte ? Avez-vous quelque chose à ajouter qui vous semble incontournable ?
   – Ouvrez aussi vos tiroirs et complétez l'inventaire.
   – Dans quel habillement vous sentez-vous le plus à l'aise ?
   – Quelles sont les couleurs qui dominent dans vos vêtements ? Ce sont les mêmes couleurs pour toutes les saisons ? Y a-t-il une raison qui détermine votre choix ?

Le pantalon au féminin

Comme toutes les choses, le pantalon aussi a son histoire ; elle est racontée par L. Benaïm dans son livre *Le Pantalon, une histoire en marche*, qui commence par la première apparition connue du pantalon, en 329 av. J.-C. sous l'Empire Perse.

L'histoire du pantalon au féminin réserve des surprises de taille ; elle est surtout liée à celle du féminisme et elle n'a pas été facile puisque, déjà en 1430, Jeanne d'Arc est accusée, entre autres, de porter un pantalon !

En 1800, une ordonnance stipule que toute femme désirant s'habiller en homme devra se présenter à la préfecture de police pour en obtenir l'autorisation. Trente ans plus tard cependant, le pantalon apparaît sous les jupes et en 1853, aux États-Unis, Oscar Levi-Strauss taille le premier jean dans la toile de tente des chercheurs d'or.

Les premières femmes sportives adoptent le pantalon sous leur jupe pour pédaler sur le vélocipède ; les danseuses de french cancan en font un objet de plaisir alors que, durant les deux guerres mondiales, c'est par nécessité que les femmes portent les costumes de leurs maris.

Le pantalon masculin des héroïnes transgressives, comme l'écrivain Colette ou l'actrice Marlène Dietrich, anticipe les revendications des mouvements féministes sur l'égalité des sexes.

Avec Mai 68 il n'y aura plus, pour le pantalon féminin, d'autres limites que celles imposées par la mode et les excès ne se comptent pas : le « pattes d'éléphant », porté par les deux sexes dans les années 60-70, le jean déchiré des punks des années 80, le pantalon-collant des années 90.

Pour les femmes, depuis longtemps, le pantalon n'est plus une simple question de mode mais plutôt un choix de confort et de simplicité, sans compter qu'elles sont nombreuses à affirmer que porter une jupe dans certaines professions est impensable.

[Lire et comprendre]

Dites si c'est vrai ou faux.

		V	F
1.	Le pantalon a toujours été un synonyme de masculinité.	☐	☐
2.	L'histoire nous révèle que les hommes ont toujours apprécié la femme en pantalon.	☐	☐
3.	Les héroïnes transgressives de l'histoire ont méprisé ce symbole masculin.	☐	☐
4.	Le port du pantalon est un symbole de l'émancipation féminine.	☐	☐
5.	Au XIXe siècle le pantalon se portait sous les jupes.	☐	☐
6.	Le jean a été inventé en Europe pour les jeunes modernes.	☐	☐
7.	Le pantalon est adopté indifféremment par les deux sexes depuis Mai 68.	☐	☐

🎧 21 Le parfum

[À l'écoute]

Écoutez puis complétez les phrases suivantes.

1. L'industrie française .... se développe au ...., à l'époque de ....

2. Le parfum est un .... mais aussi une nécessité puisqu'il sert à ....

3. Autrefois, la matière première venait des .... et était transformée dans la ville de .... ; maintenant les fleurs viennent de ....

4. Les artisans .... s'appellent les ....

5. Le produit final est vendu en ...., souvent .... le contenu.

Tatouage et piercing : quelle drôle de beauté !

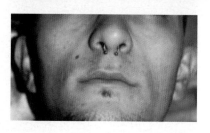

On peut trouver ça très joli ou alors barbare, on peut en mettre partout ou se limiter à un petit bout du corps, toujours est-il que le piercing et le tatouage sont un phénomène de mode et de masse qui connaît un succès grandissant. Pourtant, le saviez-vous, c'est une mode aux origines millénaires !

Déjà du temps des Romains, les légionnaires se perçaient les tétons pour accrocher leur tunique. Dans certaines tribus, le piercing faisait partie intégrante d'une série de rites qui marquaient le passage à l'âge adulte. Des piercings génitaux étaient réalisés sur des esclaves pour les empêcher d'avoir des relations sexuelles.

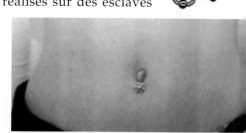

Il y a quelques décennies, le mouvement punk a relancé la mode avec les fameuses épingles à nourrice et aujourd'hui ce sont surtout les très jeunes qui se laissent fasciner : nez et nombril sont les parties du corps les plus percées.

Est-ce que ça fait mal ? Il paraît que non, mais chacun réagit différemment à la douleur. Un bon perceur a la main ferme et le geste sûr ; il doit aussi fournir toutes les informations sur le nettoyage et l'entretien du piercing et du bijou. Attention aux bijoux : choisissez-les en acier chirurgical ; ce sont les mieux tolérés par l'organisme.

[Lire et comprendre]

Choisissez la bonne solution.

Le piercing était déjà *diffusé* / *accroché* chez les Romains. Chez certains peuples c'était un *rite* / *mythe* qui *signait* / *marquait* le passage à l'âge adulte. Les punks se perçaient avec des *épingles à nourrice* / *fameuses nourrices*. Les jeunes d'aujourd'hui se percent surtout *la langue et les bras* / *le nombril et le nez*. Le piercing *fait mal* / *n'est pas très douloureux*.
Le perceur *renseigne sur les opérations d'entretien* / *s'occupe du nettoyage et de l'entretien*.

Quant au tatouage, bien avant d'être un pur élément décoratif, il était lui aussi l'une des étapes des rites initiatiques : il marquait le passage de l'enfance à l'âge adulte et l'appartenance du tatoué à la communauté. Dans les tribus polynésiennes, le père du tatoué devait parfois économiser des années pour permettre à son fils de se faire tatouer. Les motifs étaient en fonction de l'âge, du sexe et du rang social du tatoué. Certains peuples l'utilisaient comme talisman, comme remède contre les rhumatismes ou comme protection contre les morsures de serpents.

Importé en Europe après la découverte des mondes lointains, le tatouage a été très populaire même dans la haute société. De nos jours, il est vécu en général comme une simple décoration du corps. Il vaut mieux bien réfléchir avant de décider de se faire tatouer car, même si maintenant il est possible de l'enlever au laser, on ne fait pas un tatouage pour l'enlever plus tard, il faut le voir comme une trace indélébile, que l'on garde à vie.

Le mot « tattoo » est un dérivé du mot polynésien « tatau » qui signifie frapper, heurter, ce qui correspond à une des techniques de tatouage. Est-ce que ça fait mal ? Forcément, mais c'est supportable (enfin, cela dépend des gens et des zones tatouées), mais surtout cela demande un long travail pour introduire les pigments de couleur sous la peau.

[Lire et comprendre]

1. À l'origine, le tatouage est
   a. un pur élément décoratif.
   b. un rite initiatique.

2. Dans les tribus polynésiennes
   a. le père était tatoué.
   b. le tatouage était très cher.

3. Les décorations
   a. avaient une fonction selon l'âge, le sexe, le rang.
   b. dépendaient de l'âge, du sexe et du rang.

4. Cette pratique
   a. a ses origines dans des pays lointains.
   b. naît en Europe dans la haute société.

5. Un tatouage
   a. se fait pour la vie.
   b. s'enlève facilement au laser.

6. Le tatouage implique un travail
   a. forcément supportable.
   b. long et douloureux.

[Des images ? Parlons-en]

Indiquez le nom de chaque vêtement et dites s'il fait partie de la garde-robe d'une fille (F) ou d'un garçon (G).

Travaillons ensemble

Travail par groupes

Étape 1

Formez 4 groupes et choisissez, en dehors de votre groupe, un garçon et une fille qui vont devenir les mannequins de votre défilé virtuel. Vous ne révélerez votre choix qu'à la fin et vous devrez le justifier.

Étape 2

Vous allez créer un nouveau look pour vos mannequins, de la tête aux pieds ; chaque fois votre choix doit être justifié.
Commençons par les cheveux : couleur, coupe, coiffure.

Étape 3

Pour les filles : maquillage ; quelle partie du visage doit être exaltée ou cachée ? Par quel moyen (rouge à lèvres, fard, crayon, poudre pour les yeux, lentilles de contact colorées) ?
N'oubliez pas les mains (vernis à ongles).

Étape 4

Venons-en à l'habillement. Refaire le look d'une personne signifie aussi faire ressortir quelque chose de son caractère ; attention donc à ne pas vous tromper. Vous choisirez les pièces, les tissus et les couleurs, chaussures comprises.

Étape 5

Si dans le groupe il y a des apprentis-stylistes, ils pourront faire un croquis et créer un modèle original, sinon, vous pouvez vous procurer le matériel dans des journaux de mode.
Découpage et collage vous permettront de visualiser votre création dans l'ensemble.

Étape 6

Pour la mise en commun, vous avez deux possibilités :

1. Chaque groupe présente sa création et révèle l'identité de ses mannequins. Si ceux-ci sont d'accord, ils (ou elles) pourront toujours essayer de se conformer au look que vous avez étudié !
2. Cette deuxième option demande au moins deux séances de travail : la première pour la mise au point théorique (tout le travail indiqué ci-dessus) ; la deuxième pour la réalisation pratique sur le mannequin que vous aurez désigné et qui devra défiler devant la classe dans son nouveau look, pendant que le coordinateur justifiera le choix de chaque intervention.
   Par exemple :
   Nous avons choisi Anne parce qu'elle est grande et mince et tout lui va bien. Nous avons choisi Michel parce qu'il s'habille n'importe comment alors qu'il devrait mettre en valeur son physique d'athlète / cacher sa maigreur / choisir des couleurs plus / moins...

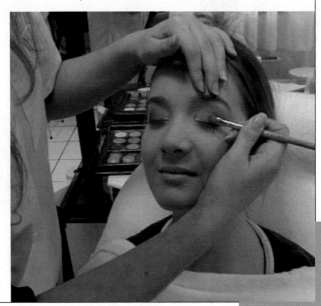

5 Bouger

Être bien dans sa peau

Est-il vraiment essentiel de se précipiter dans une salle de gym, de transpirer et se casser le dos sur une planche de torture, de se défoncer pour perdre quelques kilos ?

Il paraît que non, finalement.

Après nous avoir persuadés de la nécessité d'une forme parfaite, les Américains, créateurs de toutes les modes, nous révèlent à présent que la frustration de ne jamais atteindre la forme idéale a un effet plus dévastateur que la pire des conditions physiques. Et ils remplacent les régimes draconiens par l'attitude plus indulgente du cocooning : se dorloter, ne pas trop se priver de ce qu'on aime, ne pas exagérer avec l'exercice physique…

Un peu de marche ou quelques heures de jardinage ont les mêmes effets bénéfiques sur le cœur, la tension et le poids qu'une intense séance de sport. Cela ne signifie pas qu'on renonce au sport, mais on s'y met en douceur.

Si les sportifs acharnés éprouvent du plaisir dans l'effort et arborent avec fierté leurs biceps musclés, les plus indolents n'ont pas à se décourager. Il suffit d'un tout petit effort fait avec régularité pour préserver leur bonne santé et la tonicité de leur physique.

Comment brûler vos calories

Escalade ou corvées ménagères, tout est bon pour éliminer.

Activités légères	Activités modérées	Activités intenses
moins de 280 calories/heure	de 280 à 420 calories/heure	plus de 420 calories/heure
• marche à pied, à moins de 2 km/h • nettoyage des vitres ou du sol • lavage de voiture • jardinage	• randonnée pédestre (entre 3 et 4 km/h) • ménage, aspirateur • cyclisme de loisir (moins de 9 km/h) • faire avancer une poussette • danser • ratisser les feuilles • golf	• marche intense en montagne • cyclisme sportif (plus de 9 km/h) • match de tennis • jogging, course (plus de 5,5 km/h) • tondre le gazon • monter l'escalier

Mais que fait un ado pour se sentir bien dans sa peau ?

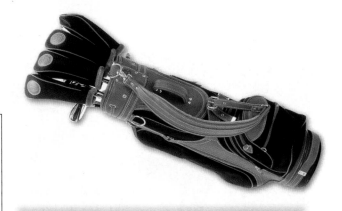

1. Moi, je suis plutôt paresseuse. La gym, j'en fais à l'école mais juste parce que c'est obligatoire. Je sais bien que c'est important, mais j'ai la flemme. Quelquefois j'accompagne mon petit frère à la piscine et je nage un peu avec lui, puis le jour après j'ai mal partout... Non, franchement, j'aime pas. Par contre, quand je vais en boîte, alors là je me déchaîne et je ne sens pas la fatigue. Les copains et la musique me font sentir si bien !

2. Mes parents sont très sportifs et ils m'ont encouragé à essayer tous les sports. Maintenant je me suis arrêté sur la planche à voile, en été, bien sûr, et le ski en hiver. Deux fois par semaine je fais du basket dans la cour du lycée. Avec les camarades, nous formons une équipe du tonnerre. On ne gagne pas toujours, mais on s'amuse beaucoup. Je ne comprends pas ceux qui passent leur temps libre collés à la télé ou à l'ordi.

3. Cette année, parmi les options sportives proposées par le lycée, il y a aussi la danse moderne. Génial ! Michèle et moi, nous nous sommes inscrites immédiatement et nous sommes ravies. Cette activité conjugue deux choses que nous aimons beaucoup : la musique et le mouvement. On avait fait de la danse classique mais les rythmes modernes sont tellement plus agréables ! Nous jouons aussi de la guitare et du violon.

[Lire et comprendre]

1 Dites si c'est vrai ou faux.

	V	F
1. Pour garder la forme, l'activité physique intense est essentielle.	☐	☐
2. Les Américains sont des fanatiques de la forme physique.	☐	☐
3. Il est important de combattre toutes ses imperfections.	☐	☐
4. Il faut savoir se gâter un peu et ne pas trop exiger de son corps.	☐	☐
5. L'activité physique ne correspond pas forcément à la pratique sportive.	☐	☐
6. Les sportifs acharnés cachent leurs muscles.	☐	☐

2 Dites quelle interview correspond au profil indiqué.

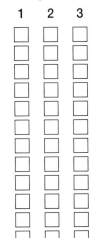

	1	2	3
a. Adore la musique.	☐	☐	☐
b. Aime le binôme sport-musique.	☐	☐	☐
c. Aime tous les sports.	☐	☐	☐
d. Danse comme une forcenée.	☐	☐	☐
e. Fait du sport avec sa copine.	☐	☐	☐
f. Fait du sport au lycée.	☐	☐	☐
g. Fait partie d'une équipe.	☐	☐	☐
h. Fait un peu de sport avec son frère.	☐	☐	☐
i. Fait un sport d'eau.	☐	☐	☐
j. Joue d'un instrument.	☐	☐	☐
k. L'exemple des parents est fondamental.	☐	☐	☐
l. N'aime pas faire du sport.	☐	☐	☐

[Et vous ?]

- Pour retrouver toute votre vigueur, vous préférez une heure de tennis ou un bain d'algues rafraîchissantes ?
- La forme physique est-elle importante pour vous ? Que faites-vous pour être toujours tonique ?
- Analysez l'encadré (p. 83) et dites quelles sont les activités que vous pratiquez parmi celles qui y sont indiquées.

Le sport en questions

– Les Français sont-ils sportifs ?

La France a ses champions mais ils représentent une élite infiniment minoritaire par rapport aux 13 millions de Français licenciés sportifs et aux 10 autres millions qui déclarent pratiquer une activité physique au moins une fois par semaine !

– Et la forme ?

Trois Français sur quatre, de 12 à 74 ans, cherchent à se maintenir en forme et le temps qu'ils consacrent au sport ne cesse d'augmenter.

Avec le temps libre qui augmente, la mentalité sportive est en progrès, grâce aussi à de nouvelles disciplines qui se sont imposées dans les vingt dernières années.

– Lesquelles ?

D'abord tous les sports extrêmes qui attirent de plus en plus d'adeptes, et puis le parapente, le rafting, la planche à voile, le snowboard, le canyoning, le fitness, le VTT... Ces sports font concurrence aux sports nés à la fin du XIXe siècle, comme le tennis, le football ou le rugby, où l'équipe c'est aussi la convivialité, et à ceux qui semblent ne pas avoir d'âge, comme les boules et les arts martiaux.

– Et l'école dans tout cela ?

C'est à l'école que les enfants se familiarisent avec le sport. C'est là d'abord que l'on apprend la maîtrise du corps, l'effort physique, la solidarité d'équipe. L'épreuve d'éducation physique est obligatoire au baccalauréat.

[Lire et comprendre]

Choisissez la bonne réponse.

1. Y a-t-il des champions Français qui se distinguent dans les compétitions internationales ?
   a. Oui, beaucoup.
   b. Oui, mais ils sont rares.
   c. Non, aucun.
2. Quel est le nombre des licenciés d'un sport en France ?
   a. 10 millions.
   b. Trois Français sur quatre.
   c. 13 millions.

3. La forme physique est-elle une préoccupation diffusée ?
   a. Oui, mais le temps manque.
   b. Oui, pour les 3/4 des Français.
   c. Non, parce que tout le monde fait du sport.
4. Quelles nouveautés a-t-on enregistrées dans le sport au cours des dernières années ?
   a. Les sports classiques se sont popularisés.
   b. La mentalité sportive n'a pas évolué.
   c. Beaucoup de nouveaux sports sont nés.
5. Le rôle de l'école dans la diffusion de la pratique sportive est
   a. fondamental pour l'initiation des jeunes.
   b. limité et sans valeur.
   c. occasionnel.

[Des mots pour le dire]

1 Retrouvez la bonne définition pour les sports indiqués : snowboard, fitness, planche à voile, arts martiaux, parapente, canyoning, rafting, VTT.

1. Descente des gorges d'une rivière (à pied et à la nage).
2. Descente de rapides en radeau pneumatique.
3. Vélo tout terrain.
4. Remise en forme.
5. Surf des neiges.
6. Surf avec une voile.
7. Saut dans le vide avec un parachute rectangulaire.
8. Disciplines orientales fondées sur la concentration du mouvement.

2 La pratique d'un sport extrême demande des qualités particulières ; trouvez les intrus parmi les qualités indiquées.

jovialité / courage / adresse / résistance / maîtrise de soi / bon appétit / facilité aux contacts humains / précision / tolérance / sens de l'orientation / endurance / bon entraînement / sincérité / solidarité / diplomatie.

[Et vous ?]

– Pratiquez-vous un ou plusieurs sports ? Si oui, lesquels et pourquoi ?
– Aimez-vous les sports dangereux ? Les sports extrêmes sont-ils à la portée de tout le monde ? Pourquoi ?
– Parmi les sports cités dans le texte de la page précédente, quelques-uns, comme le football et le jeu de boules, sont plus pratiqués que d'autres. Comment l'expliquez-vous ?
– Le sport a-t-il aussi une fonction éducative ? Justifiez votre réponse.

Les citadins et le vélo

L'Union Européenne a destiné des fonds considérables à l'aménagement de pistes cyclables dans les pays membres ; le but est évident, sur le court ainsi que sur le long terme : améliorer la qualité de la vie dans les centres urbains.

Plusieurs villes se sont donc découvert une âme sportive, mais la réaction des citadins est assez tiède. En effet, à l'exception de Paris et Grenoble qui ont adopté des politiques pénalisantes pour la circulation automobile, l'usage du vélo comme moyen de déplacement est stagnant ou en baisse. L'exemple d'Amsterdam, de Copenhague et d'autres villes du Nord serait à imiter ; ici, le quart des trajets urbains se fait à bicyclette, ce qui se traduit par une circulation plus fluide, moins d'embouteillages, stationnements plus disciplinés, transports en commun moins bondés, moindre perte de temps, moins de pollution, plus d'exercice physique.

Il est vrai que la paresse, les rythmes frénétiques et la publicité nous encouragent à remplacer les voitures par des scooters ou des vélomoteurs, cependant les deux roues non motorisées gagnent du terrain dans certaines villes italiennes, au Royaume-Uni et en Allemagne. Et ceci n'est pas le fruit d'une mode ou d'une fatalité, mais plutôt le résultat d'un choix politique et d'une campagne de sensibilisation bien ciblée.

La situation en France

22 millions de vélos circulent en France, dans le Nord, l'Est et l'Ouest plutôt que dans le Midi. La moitié des familles françaises n'ont pas de bicyclette et, d'une manière générale, on considère que c'est plus un instrument de loisir qu'un moyen de transport. Et pourtant 90% des Français interrogés à ce sujet estiment que ce serait l'idéal pour le transport individuel en milieu urbain.

À vélo comme en voiture...

Voici une petite anecdote curieuse entendue à la radio l'automne dernier : dans une ville du Nord de l'Italie, un gendarme a dressé un procès verbal contre une jeune femme circulant à vélo en pleine ville. Elle a dû payer 50 euros d'amende pour avoir été surprise en flagrant délit de… « conversation téléphonique ». Au volant d'une voiture comme au guidon d'un vélo, le portable distrait et peut provoquer un accident !

[Lire et comprendre]

Choisissez la solution qui convient.

1. L'UE finance l'aménagement de pistes cyclables dans le but de
   a. décongestionner les centres urbains.
   b. encourager la pratique du cyclisme.
   c. pénaliser la circulation automobile.
2. À l'exception de Paris et Grenoble, les villes françaises
   a. enregistrent une augmentation de la circulation des deux roues.
   b. se sont découvert une âme sportive.
   c. dénoncent une stagnation ou une baisse des bicyclettes en circulation.
3. Sur le court et le long terme
   a. les rythmes accélérés de la ville imposeront scooters et vélomoteurs.
   b. le transport à vélo devrait améliorer le cadre de vie général.
   c. le quart des trajets urbains se feront à vélo.
4. Dans la vie quotidienne des Français, la bicyclette est
   a. un instrument incontournable.
   b. plus un loisir qu'un moyen de transport.
   c. le transport urbain idéal.
5. Le vélo est plus diffusé dans les régions et les pays du Nord
   a. parce que le territoire est plus plat.
   b. à cause du climat.
   c. pour le caractère plus dynamique des gens.

[Et vous ?]

– Que se passe-t-il dans votre ville ? Les gens se déplacent-ils à bicyclette ? Pourquoi ?
– Quels sont, d'après vous, les avantages et les inconvénients du vélo en ville ?
– Que pensez-vous de l'amende infligée à la cycliste qui téléphonait en pédalant ? Excessivement sévère, juste, exemplaire…? Motivez votre opinion.

En ligne ou quad ? L'important c'est de rouler !

Sport ou moyen de transport rapide, écolo ou antistress ? Le patin, c'est un peu tout cela. Une mode éphémère se transforme en phénomène de société.

Dans les villes encombrées de voitures, les transports en commun sont lents et bondés. Quoi de plus simple, alors, que de chausser des patins pour zigzaguer au milieu des obstacles ? L'apparition de chaussures avec roues démontables a accéléré ce phénomène particulièrement visible à Paris.

La capitale s'est convertie au roller et on voit des étudiants et des cadres se déplacer à roulettes, alors que dans plusieurs municipalités voisines les patins sont interdits en dehors des aires de jeux !

Le marché s'est vite adapté : les rollers, ou patins en ligne, sont en vente partout. Ils peuvent coûter jusqu'à 300 euros, protections non comprises, mais on peut les louer ou bien ressortir les vieux quads à roulettes parallèles.

Les associations prolifèrent, elles aussi : elles organisent des sorties et demandent à la Préfecture les autorisations nécessaires car les patineurs à roulettes sont, pour le Code de la Route, des piétons et ils ne peuvent pas circuler sur la chaussée. Ils doivent rouler sur les trottoirs au milieu des piétons effrayés. À Paris, la Préfecture s'est adaptée à la nouvelle réalité et a créé une brigade à roulettes.

Chaque semaine plus de 28 000 patineurs se consacrent à leur sport préféré sur une « boucle » (circuit circulaire) de 25 km environ, qu'ils parcourent en 3 heures. Pour leurs adeptes, les clubs souscrivent aussi des assurances car les chutes sont fréquentes ainsi que les fractures des bras, des poignets et des chevilles.

[Lire et comprendre]

1. Quelle est la dernière mode pour se déplacer dans Paris ?
2. Le roller a un succès énorme. Trouvez dans le texte les expressions qui révèlent l'ampleur du phénomène.
3. Quels avantages assure ce nouveau moyen de transport ?
4. Comment le Code de la Route considère-t-il les rollers ?
5. Que font les associations ? Et la Préfecture ?

[Des mots pour le dire]

Complétez les phrases suivantes.

1. Une mode qui passe rapidement est ....
2. Un bus plein de gens est ....
3. Si vous ne voulez pas acheter des rollers, vous pouvez les ....
4. Les patineurs peuvent rouler sur le trottoir mais pas sur la ....
5. Des policiers sur rollers forment une .... spéciale.
6. Pour se protéger contre les risques possibles, les rollers peuvent souscrire une ....

Le mythe et la réalité

Pierre de Coubertin.

Le baron Pierre de Coubertin, « inventeur » des Jeux Olympiques modernes, a exalté les vertus de la pratique sportive. Le sport serait le véhicule idéal de valeurs sociales universellement reconnues : camaraderie, fair-play, saine émulation, travail d'équipe, esprit de sacrifice, conscience de ses limites.

C'est le mythe du sport pur, un stéréotype qui, depuis plus d'un siècle, n'a jamais été mis en discussion.

Mais est-ce que cela correspond encore à la réalité ? Les modèles auxquels les jeunes s'inspirent sont-ils encore des exemples positifs à imiter sans condition ?

De nos jours le sport est avant tout une industrie qui génère des chiffres d'affaires millionnaires. Les sponsors dépensent des sommes faramineuses pour s'assurer l'image du champion du moment qui devient un modèle pour des milliers de jeunes ; avec un bon marketing, il fera vendre n'importe quel produit, de la chaussure sportive au déodorant. Le football et le rugby, les deux sports d'équipe qui bénéficient de la plus grande « visibilité », sont d'excellents réservoirs de vedettes à émuler : pour devenir un « héros » il suffit de marquer un but, après quoi tout est permis et le fair-play n'est plus qu'une question de façade. Mais sur le terrain on assiste aussi aux pires exemples d'incivilité et de violence ; est-ce à cause de la tension et de l'effort physique, ou simplement un signe des temps, le résultat d'une tolérance excessive de petits épisodes de transgression qui finissent par tuer le spectacle du sport ?

[Lire et comprendre]

1. Qu'est-ce qui a rendu célèbre le nom du baron de Coubertin ?
2. Quelles valeurs sociales seraient exaltées par la pratique sportive ?
3. Est-ce que cela correspond encore à la réalité actuelle du sport ? Pourquoi ?
4. Pourquoi l'industrie finance si généreusement le sport ?
5. Quelles disciplines sportives suscitent la plus grande émulation ? Pourquoi ?
6. À quoi pourraient être attribués certains comportements dans les stades de la part des joueurs ? Et de la part du public ?

[Des mots pour le dire]

Pour chacune des valeurs indiquées, trouvez la définition correspondante.

1. camaraderie
2. fair-play
3. saine émulation
4. travail d'équipe
5. esprit de sacrifice
6. conscience de ses limites

a. respect de l'adversaire
b. esprit de solidarité et d'amitié
c. savoir endurer l'effort
d. assumer l'échec et savoir recommencer
e. être positivement stimulé par ses adversaires
f. interagir sans vouloir dominer

Pourquoi les champions nous fascinent tant ?

Ils représentent le courage et la peur, la force et la faiblesse, la foi et le doute, la victoire et la défaite... À chaque nouvelle épreuve, ils jouent leur vie ou leur carrière. Ils incarnent nos rêves de gloire et répondent à notre envie d'égalité : chacun a sa chance, et c'est en général le meilleur qui gagne.

À chaque étape du Tour de France, à chaque match du tournoi de Roland-Garros, à chaque sprint des Jeux Olympiques, le champion remet son destin en jeu. Une fois la compétition commencée, il n'est protégé par aucune hiérarchie, par aucune réputation ; il lui faut prouver sa valeur sur le terrain.

Le podium.

Une compétition de natation.

Amélie Mauresmo.

[Lire et comprendre]

Remettez dans l'ordre les phrases suivantes.

1. personne n'est protégé par une réputation et
2. le courage de se remettre en question à chaque compétition
3. Ils incarnent notre désir d'une société égalitaire où
4. en jouant leur vie ou leur carrière.
5. Ce qui nous fascine chez les champions c'est
6. chacun doit gagner ses galons sur le terrain.

🎧22 Le sport est-il pourri ?

[À l'écoute]

Choisissez la bonne réponse.

1. L'effet du dopage sur le sport est de
   a. soustraire beaucoup d'intérêt.
   b. redonner un nouvel intérêt.
   c. ôter tout intérêt.
2. L'affaire a éclaté au Tour de France dans un climat
   a. d'indifférence totale.
   b. d'intérêt morbide.
   c. de fausse surprise.
3. Le débat a duré longtemps et
   a. on a déploré le manque de discipline.
   b. tous les sports ont été concernés.
   c. des contrôles plus sévères ont été effectués.

4. En effet le problème
   a. ne concerne que l'élite du sport.
   b. concerne tout le monde.
   c. concerne aussi une partie des amateurs.
5. Le jeune Mathieu est
   a. plutôt contre le dopage.
   b. tout à fait contre le dopage.
   c. indifférent au problème du dopage.
6. Laure
   a. accuse les sponsors.
   b. accuse les sportifs.
   c. conteste le choix des sportifs.

Le peloton au Tour de France.

[Des images ? Parlons-en !]

Associez chaque sport à son nom.

1. Aviron.
2. Saut à la perche.
3. Saut d'obstacles.
4. Pelote basque.
5. Pétanque.
6. Parapente.
7. Canyoning.
8. Planche à voile.
9. Basket.
10. Escalade.
11. VTT.
12. Natation.
13. 100m haies.

Travaillons ensemble

Travail par groupes

Étape 1

Dressez une liste avec plusieurs sports. Classez-les sur deux colonnes : sports individuels et sports d'équipe.

La classe se divise en groupes : chacun choisit un sport individuel et un sport d'équipe, sans les révéler aux autres.

Le professeur veillera à ce que chaque groupe choisisse un sport différent.

Un conseil : évitez les sports les plus banals.

Étape 2

Chaque sport a ses règles, ses contraintes, son habillement, ses moments clous, ses champions, ses compétitions, son championnat et un terrain sur lequel il se pratique.

Pour chacune des deux activités que vous avez choisies, vous préparez une fiche de présentation contenant toutes les caractéristiques.

Étape 3

Chaque groupe présente ses deux sports à la classe qui devra en deviner le nom et juger la qualité de l'exposé.

6 Au jour le jour

C'est très Net

« La tchatche ou le chat, appelez-le comme bon vous semble…
c'est accessible à tout le monde et c'est vraiment génial : le
physique ne fait pas barrière, les gens du Net sont plus ouverts
et ont moins de préjugés. On y fait des rencontres hors du
commun. Et ne dites pas qu'on va sur le Net pour se cacher,
parce qu'on est timide ou parce qu'on est moche. Je revendique
une rencontre tout à fait extraordinaire, une histoire qui vit
depuis un an. Le seul problème c'est la distance. »
Juliette

Se rencontrer comment ?

« J'en avais assez de toutes ces amourettes de
plage ou de lycée… se voir tous les jours,
connaître tous les secrets, après le premier
soir il n'y a plus rien à découvrir.
Avec toi, c'était différent. Je t'ai rencontrée
un soir d'été sur un chat. Tout semblait nous
séparer mais c'était justement cela qui m'a
intrigué : on s'est écrit pendant des mois. J'ai
appris à te connaître, à t'apprécier. Nos méls
étaient de plus en plus fréquents et intenses.
C'était tellement évident, ainsi un jour on
s'est avoué notre amour. C'était magique.

Mais 600 kilomètres entre nous, c'est décourageant. Et tu as décidé que tout était fini. Je ne voulais pas
le croire, mais sur le Net les blessures comme les amours sont peut-être elles aussi virtuelles.
Dommage ! »
Adrien

« Franchement, j'avais très peur de cette rencontre. Le Net est
un vrai filet de protection, une fois qu'on le quitte tout peut
arriver. Mais cela a bien marché. Je t'ai reconnu facilement,
j'avais trouvé ta photo dans mon courriel le soir avant,
envoyée à la dernière minute pour que je ne puisse pas réagir.
Je n'avais pas voulu te transmettre la mienne. Je ne voulais pas
que tu me choisisses pour mes yeux ou mes cheveux. Je m'étais
préparée à la déception, et pourtant, quelle émotion ! J'ai
retrouvé l'euphorie de mes 15 ans. Je me suis dit que tu ne
pouvais pas être autrement. Ça fait cinq ans que nous vivons
ensemble et ça n'a pas l'air de nous déplaire ! »
Sandrine

[Des mots pour le dire]

le lecteur de CD-ROM

le graveur

la souris

l'écran

l'ordinateur

l'imprimante

les enceintes

le lecteur de disquettes

le clavier

Avez-vous une connexion Internet ? Si oui, vous aurez sûrement un courriel pour envoyer et recevoir des méls. Votre adresse se compose de :

nom + @ (arobase ou a commercial) + nom du serveur

[Lire et comprendre]

Lisez, puis répondez.

- **a.** Qu'est-ce que le chat ?
- **b.** Qui est-ce qui profite de ce mode de communication ?
- **c.** Selon Juliette, le Net est un instrument de liberté, pourquoi ?
- **d.** Qu'est-ce que le courriel ?
- **e.** Selon Sandrine, le Net est un filet de protection, pourquoi ?
- **f.** D'après les avis exprimés dans les textes, une rencontre à distance peut se transformer en un lien durable ? Pourquoi ?

[Et vous ?]

Composez un texte dans lequel vous direz
- si vous avez eu une expérience de rencontres sur le chat ;
- quel genre de personnes on y croise ;
- si les utilisateurs déclarent leur identité ;
- quelle est la teneur moyenne des « conversations » (idiotes, stupides, futiles, intéressantes, profondes, etc.) ;
- s'il vous est arrivé de transformer un contact sur le web en une rencontre réelle ; dans l'affirmative, racontez comment cela s'est passé ;
- quels risques cela peut comporter ou si vous pensez qu'il n'y a vraiment aucun danger ;
- si vous pensez qu'il devrait y avoir un contrôle sur les personnes qui accèdent à ces services.

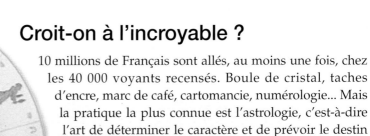

Nostradamus.

Croit-on à l'incroyable ?

10 millions de Français sont allés, au moins une fois, chez les 40 000 voyants recensés. Boule de cristal, taches d'encre, marc de café, cartomancie, numérologie... Mais la pratique la plus connue est l'astrologie, c'est-à-dire l'art de déterminer le caractère et de prévoir le destin des hommes par l'étude des influences supposées des astres. Et 58% des Français la considèrent comme une science.

Difficile d'invoquer des arguments rationnels. Les adeptes de la voyance ont tellement envie d'y croire qu'ils rejettent toute critique, et ceci est vrai pour les gens modestes comme pour les gens plus cultivés. Les devins sont devenus des maîtres dans l'art de la suggestion, en racontant aux gens ce qu'ils veulent s'entendre dire. Le succès de Nostradamus n'est qu'un exemple d'un retour d'intérêt pour un art qui n'est surtout pas une science exacte, mais qui compte beaucoup de passionnés et de praticiens, sérieux ou charlatans.

[Lire et comprendre]

Dites si c'est vrai ou faux.

	V	F
1. L'astrologie est une science.	☐	☐
2. Le succès de l'astrologie est supporté par des arguments rationnels.	☐	☐
3. Les voyants sont des professionnels qui appliquent les nouvelles technologies.	☐	☐
4. L'astrologie n'a pas beaucoup de succès en France.	☐	☐
5. Les praticiens ne sont pas tous des charlatans.	☐	☐
6. Ce sont les gens les plus modestes et les moins cultivés qui croient à la divination.	☐	☐

OVNI ou les soucoupes volantes

La première apparition d'un OVNI (Objet Volant Non Identifié) a été recensée aux États-Unis en 1947. Depuis, des dizaines de millions de personnes dans le monde affirment avoir été témoins de phénomènes étranges observés dans le ciel.

Le Centre National d'Études Spatiales de Toulouse analyse les cas signalés. Les témoignages directs sont souvent confus, imprécis ou insuffisants. On découvre alors que l'atmosphère réserve des surprises : nuages, planètes, météorites, fragments d'engins spatiaux peuvent prêter à confusion. Très souvent il suffit aussi d'un projecteur, d'un rayon laser, d'un feu d'artifice pour créer des suggestions. À la fin, les cas inexplicables se réduisent à très peu de chose.

Les ufologues y voient la manifestation des extraterrestres, les scientifiques refusent cette possibilité et affirment que dans le système solaire, la terre est la seule planète habitée. D'éventuels extraterrestres devraient venir d'une autre galaxie, mais l'étoile la plus proche de nous, Alpha du Centaure, se trouve à 4 années-lumière. Le plus rapide de nos engins spatiaux mettrait 15 000 ans à parcourir cette distance ! Il faudrait une sacrée technologie pour faire plus vite !

[Lire et comprendre]

1. Les Français, défenseurs de leur langue, ont traduit mot à mot le terme anglais UFO ; comment ?
2. Où et quand a-t-on recensé la première apparition d'un de ces objets ?
3. Quel organisme est chargé, en France, d'analyser les cas signalés ?
4. Qu'est-ce qui peut confondre les observateurs du ciel ?
5. Les cas restés sans réponse sont-ils nombreux ? Comment sont-ils interprétés par les ufologues ? Qu'en pensent les scientifiques ? Pourquoi ?
6. Entre les ufologues et les scientifiques, à votre avis, qui a raison ?

La superstition du chat noir

Pourquoi la croyance populaire accuse-t-elle les chats noirs de porter malheur ?

Autrefois, les pirates – comme tous les marins, d'ailleurs – embarquaient un chat pour se débarrasser des souris. Ils choisissaient un animal noir, car c'était leur couleur de prédilection. Lorsque le navire arrivait dans un port, le chat noir débarquait le premier ; son apparition annonçait l'arrivée des brigands et provoquait la terreur chez les habitants...

Voilà comment les pauvres minous noirs se sont fait une mauvaise réputation !

Affiche du « Chat Noir »
par Théophile Steinlen.

[Lire et comprendre]

Complétez le texte suivant.

Les chats .... portent ...., c'est une .... diffusée dans plusieurs pays. Pour retrouver l'origine, il faut remonter aux .... Pour se débarrasser des ...., ils prenaient des chats à bord de leurs .... Comme leur couleur de .... était le noir, ils .... un animal noir. Dans les ports, le chat .... toujours le premier ; il .... l'arrivée des .... et son .... semait la panique chez les habitants.

[Des mots pour le dire]

Associez les noms des signes aux symboles. Mettez-les dans l'ordre chronologique et donnez la traduction dans votre langue.

Balance	23.9 / 22.10	....
Bélier	21.3 / 21.4	....
Cancer	22.6 / 22.7	....
Capricorne	22.12 / 20.1	....
Gémeaux	22.5 / 21.6	....
Lion	23.7 / 22.8	....
Poissons	20.2 / 20.3	....
Sagittaire	23.11 / 21.12	....
Scorpion	24.10 / 22.11	....
Taureau	22.4 / 21.5	....
Verseau	21.1 / 19.2	....
Vierge	23.8 / 22.9	....

[Et vous ?]

- Quels sont les traits distinctifs de votre signe zodiacal ? Est-ce qu'ils correspondent à votre caractère ?
- Croyez-vous à l'horoscope, à l'astrologie et aux arts divinatoires ? Pourquoi ?
- Avez-vous une expérience directe ou indirecte de ce genre de choses ? Si oui, racontez-la.
- La superstition est liée à des croyances parfois très anciennes. Le sens s'est souvent perdu, mais la superstition persiste. Quelles sont les superstitions les plus diffusées autour de vous ? Êtes-vous superstitieux ? Justifiez votre réponse.

🎧 (23) Lire : la recette du plaisir

[À l'écoute]

Écoutez avec attention et complétez le texte suivant.

Les librairies .... de titres pour les publics de .... Il y a quelques années, ... avait lancé un livre électronique mais il était ...., cela a été un vrai .... Les concurrents les plus redoutables du livre sont ...., et pourtant chez les .... le livre est considéré un vrai plaisir. Le lecteur passionné n'est plus identifié avec l'intellectuel .... C'est plutôt quelqu'un qui aime .... son plaisir en conseillant ou en prêtant ses livres. Les genres préférés sont ...., les suggestions des professeurs font rarement le bonheur des élèves, sauf quand certains classiques sont relancés par la télé, ...

Une course contre la montre... au café !

Le café, lieu réputé idéal pour arrêter le temps et s'abandonner au plaisir du « farniente », change de vocation et, chrono à la main, il se met à l'heure du temps et des goûts. À Paris, ville reine des célibataires, aussi bien qu'en province, une nouvelle vague s'impose : c'est le *speed dating*, la drague express, dernière nouveauté pour passer une soirée sympa. Un concept très simple, accordé sur le rythme infernal de nos journées : accoudé à une table, chacun a droit à 10 minutes pour jouer le tout pour tout, amuser, séduire, intriguer et donner à son partenaire d'un instant l'envie d'en savoir davantage. Un coup de gong met fin à l'entretien ; on se lève et hop ! on change d'interlocuteur.

Au bout de 10 rencontres-éclair, les participants listent ceux ou celles qu'ils souhaitent revoir. Si les options correspondent, le patron fournit l'e-mail et c'est à chacun de tenter sa chance. Pendant les 10 minutes, il est interdit de parler travail : il faut bien garder un sujet de conversation pour une deuxième rencontre.

Devinez d'où nous vient cette nouvelle mode ? Bien sûr, d'outre-atlantique. Le promoteur de cette véritable affaire économique aux proportions non négligeables est un rabbin de Los Angeles qui voyait se réduire désespérément les fiançailles et les mariages. Avec un prix de 10 à 50 euros et un public de 18 à 30 ans, tant que ça dure on peut compter sur un business important.

Qu'en disent-ils, les protagonistes ?

Les patrons de l'affaire, maîtres de cérémonie :
Si ça marche, et ça marche, je vous l'assure, c'est que les gens en ont besoin. Besoin de quoi ? De passer une soirée sympa, de se rendre disponibles sans pour autant s'engager, de faire des connaissances sans aucun risque.

Les clients, « usagers » du service :
Il ne faut pas se prendre trop au sérieux, ce n'est pas là qu'on fera « la » rencontre, mais finalement, pourquoi ne pas essayer ? C'est une bonne alternative au ciné ou au chat pour remplir une soirée en solo.

On y vient entre copines et on s'amuse bien. C'est cool, les gens sont décontractés. C'est mieux que le chat parce qu'on ne peut pas tricher sur l'âge, le sexe, la tête qu'on a !

L'amour, je n'y crois plus mais le coup de foudre, ce n'est pas seulement l'amour, ça arrive aussi pour l'amitié. Du coup on se rend compte qu'il y a une affinité, une complicité. Pas de tempête hormonale, pas de déchirement douloureux ; ça dure plus longtemps et ça chauffe davantage qu'une fulguration amoureuse !

[Lire et comprendre]

1 Répondez aux questions suivantes.

    a. Qu'est-ce que le *speed dating* ?
    b. Comment s'organise-t-il ?
    c. Quelle tranche d'âge est concernée par ce mode de rencontre ?
    f. Ces expériences sont-elles couronnées de succès ?
    g. Qui tire le plus grand profit de ce business ?

2 Remplissez la grille en classant les avis exprimés dans les textes.

Pour le chat	Pour le *speed dating*
_____	_____
_____	_____
_____	_____
_____	_____

3 Dites si les affirmations suivantes sont vraies ou fausses.

                                                                       V   F

    1. On va au café de plus en plus pressé.
    2. Paris est la ville où il y a le plus de gens qui vivent en couple.
    3. Il n'y a pas de limites dans les sujets de conversation.
    4. Après dix rencontres, chacun dresse une liste avec ses préférences.
    5. Cette mode a été inventée par un juif de Los Angeles.
    6. Cette drague express a un prix très abordable.

[Et vous ?]

    – Avez-vous l'habitude d'aller au café, seul(e)s ou avec vos copains ?
      Oui / non parce que ....
      Je préfère plutôt ....
    – Avez-vous déjà entendu parler du *speed dating* ?
      Oui / non et je trouve que c'est ....

« Un arbre qui tombe… »

« Un arbre qui tombe fait plus de bruit qu'une forêt qui pousse… » dit un ancien proverbe. C'est une image qui ne manque pas de profondeur : alors que l'on est tous prêts à s'intéresser au sensationnel, on perd souvent de vue l'immense richesse silencieuse du quotidien. Les chaînes de télé, les radios, les quotidiens et les magazines rivalisent pour nous fournir, au nom du droit à l'information, des nouvelles qui ont une forte composante émotionnelle : accidents de la route, homicides, guerres et catastrophes. Il est difficile d'échapper à l'engrenage de la mauvaise nouvelle.

Les médias orientent ainsi, directement ou indirectement, l'enthousiasme et la capacité à s'investir d'une partie de la société : après un tremblement de terre, les sinistrés recevront les signes de la solidarité du monde entier tant qu'ils seront à la une mais, une fois le rideau baissé, l'émotion s'éteint aussitôt. Et pourtant, dans la discrétion et l'anonymat, des actes minuscules se font chaque jour et nous redonnent le goût de la générosité.

C'est cela, les forêts qui poussent !

« Nous sommes une équipe de 10 lycéens, nous avons notre " jour fixe ", c'est le mercredi après-midi. On se retrouve à l'entrée de l'hôpital à 14h, les enfants nous attendent impatients. On reste avec eux jusqu'à 18h. Faire du bien, gratuitement, ça fait du bien ! Je sors chaque fois plus riche et plus conscient du bonheur de la vie ! » (Alain, 16 ans, Lyon)

« Pour les personnes âgées, dépendantes, la vie devient un fardeau difficile. Plus de projet d'avenir, plus envie d'arriver au lendemain. Mon centre de bénévolat m'a donné une formation, mais il faut aussi un penchant naturel, il faut savoir écouter et soigner, l'âme plus que le corps. Je fais les courses une fois par semaine, un peu d'ordre dans la chambre chez des personnes qui vivent leur vieillesse dans la solitude la plus complète, mais surtout je suis là pour apporter le bonheur du contact humain. » [Valérie, 18 ans, Paris]

« Nos enfants vivent à l'étranger, nous sommes restés seuls, ma femme et moi. Pas de petits-enfants, pas de sourires, pas de caprices, pas de sorties au parc ou d'enfants à qui raconter des fables et préparer des gâteaux. Ainsi nous avons adhéré à une association de quartier qui trouve des grands-parents pour des petits-enfants qui n'en ont pas. Nous avons été sélectionnés par les psychologues du centre, nous avons été invités par la famille pour nous connaître réciproquement, on s'est plu, on s'est adopté. Julie et Marc sont adorables, avec eux on a retrouvé l'envie de s'amuser ! »
(Pierre-Michel et Arlette, 60 et 58 ans, Valence)

L'armée du feu : 241 000 sapeurs-pompiers, dont 27 000 rattachés au ministère de l'Intérieur, 7 000 militaires et 207 000 volontaires.

Depuis les attentats du 11 septembre 2001, partout dans le monde les pompiers sont devenus des héros. En été, leur activité se concentre surtout sur la lutte contre les incendies. Le combat contre le feu n'est toutefois pas la seule activité : secours en haute montagne ou en mer, interventions d'urgence en ville pour les cas les plus disparates et, à côté de cela, dans les petits villages ce sont encore les sapeurs-pompiers qui organisent la fête du 14 juillet.

[Lire et comprendre]

Dites si les affirmations suivantes sont vraies ou fausses.

	V	F
1. L'article contient une critique aux moyens d'information.	☐	☐
2. Le public ne s'intéresse qu'aux faits sensationnels.	☐	☐
3. L'information que nous recevons est objective et équilibrée.	☐	☐
4. Nous avons les moyens pour échapper à cette spirale de malheurs.	☐	☐
5. Les médias n'influencent pas beaucoup notre capacité d'action.	☐	☐
6. La générosité vit mieux dans l'anonymat que sous les réflecteurs.	☐	☐

[Les interviews]

1. Les interviewés ont tous quelque chose en commun, quoi exactement ?
2. Ils travaillent seuls ou sous la direction de quelqu'un ? En ce cas, de qui ?
3. Leur âge n'est pas le même ; qu'est-ce que cela prouve ?
4. Qu'est-ce qu'on leur demande de faire au juste ?
5. Qu'est-ce qui les a poussés sur cette voie ?
6. Reçoivent-ils une récompense pour ce qu'ils font ?
7. Dans quelles situations l'activité des pompiers se révèle-t-elle indispensable ?
8. Ils sont tous volontaires ? De qui dépendent-ils ?

[Et vous ?]

– Quel est pour vous le sens du proverbe cité au début de l'article ?
– Peut-on considérer le journal télévisé un véhicule de culture et d'information ?
– Vos parents vous obligent-ils à le suivre pour être informés sur ce qui se passe dans le monde ?
– Êtes-vous sensibles aux besoins des autres au point d'y consacrer votre temps sans gagner de l'argent ? Pourquoi ?
– Faites-vous partie d'un organisme de bénévolat ? Pourquoi ? Si oui, lequel ?
– Est-il nécessaire d'être dans une organisation pour faire du bien à titre gratuit ? Racontez votre expérience, si vous en avez une.

[Des images ? Parlons-en !]

Attribuez une légende à chaque photo.

1. La Bibliothèque Nationale François-Mitterrand à Paris.
2. La presse pour les jeunes.
3. Le café Procope.
4. Nostradamus (Michel de Nostre Dame, médecin et astrologue français, 1503-1566).
5. Affiche du Salon de la Voyance.
6. *Le Petit Prince* par Antoine de Saint-Exupéry.
7. Simone de Beauvoir (1908-1986), écrivain, aimait écrire assise à la terrasse d'un café.
8. Le musée de la magie à Paris.
9. Couverture d'un magazine de littérature.

Travaillons ensemble

Travail par groupes

À vous, maintenant, de donner une idée du mode de vie de votre univers (votre classe, votre famille, votre groupe d'amis...).

Reprenez quelques titres de ce dossier et refaites le même trajet en l'adaptant au contexte que vous avez choisi (le même pour tous les groupes, pour pouvoir comparer et assembler les résultats).

Votre titre sera : Ma classe, ma famille, mes amis... est / sont comme ça !

Un dernier groupe se chargera de rédiger 3 articles pour un magazine destiné à des adolescents de 14-18 ans. Les articles porteront sur le mode de vie et les goûts des jeunes en évitant, bien sûr, les thèmes attribués aux autres groupes.

Étape 1

Vous formez 3 groupes pour les thèmes à approfondir et 1 pour le magazine :

1. Sont-ils des cybernavigateurs ?
2. Croient-ils à l'incroyable ?
3. Pour une soirée différente, préfèrent-ils plonger dans un livre ou s'enfermer dans un café ?
4. Le vécu quotidien des adolescents : rédaction d'articles pour un magazine.

Étape 2

Chaque groupe fera une brève enquête et préparera 8-10 minutes de présentation orale sur les points suivants :

- présentation globale du sujet
- chiffres ou pourcentages illustrant les résultats des sondages réalisés
- exemples concrets pour chaque rubrique
- conclusions

Étape 3

Chaque groupe devra produire un texte écrit, mais devra aussi en présenter librement le contenu devant la classe, sans hésitation et avec richesse de vocabulaire. 10 élèves constituent le jury qui évalue le travail réalisé. Soyez très critiques ! Si vous voulez être pris au sérieux, ça doit commencer par vous-mêmes !

7 Que de problèmes !

Le village global

On en parle depuis les années 90 mais l'idée n'est pas une invention des temps modernes. La mondialisation existait déjà au XIXe siècle, puis l'histoire l'a un peu ralentie : fermeture des frontières pour l'autarcie des régimes dictatoriaux, Seconde Guerre mondiale, décolonisation, guerre froide… La chute du mur de Berlin et la fin de l'hégémonie russe ouvrent à nouveau le monde : les capitaux et les marchandises recommencent à traverser les frontières pour aller de plus en plus loin, poussés par une concurrence féroce.

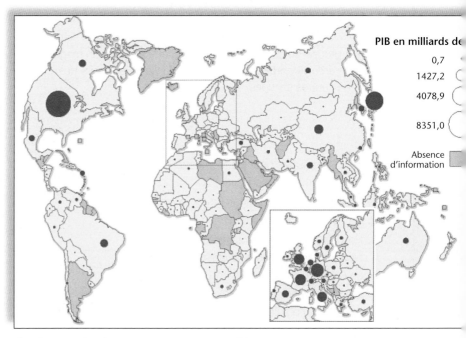

PIB en milliards de

0,7
1427,2
4078,9
8351,0

Absence
d'information

Qu'est-ce que la mondialisation ?

La façade de la Bourse de New York.

Il serait plus correct d'en parler au pluriel :

Mondialisation de la culture : les voyages dans les terres lointaines se multiplient, on lit des écrivains, on admire des artistes, on chante des chansons qui expriment d'autres cultures. On va étudier ou travailler à l'étranger. Les mariages mixtes augmentent. Des produits de tout genre envahissent le monde et imposent des styles de vie (McDo, Hollywood) ou véhiculent simplement d'autres habitudes (pizza, sushi, couscous).

Mondialisation commerciale : la planète devient un grand marché où tous les articles sont disponibles.

Mondialisation de la production : les entreprises multinationales achètent la matière première dans un pays, la font travailler dans un autre, assemblent les pièces ailleurs, les conditionnent dans d'autres pays : le logo « made in » n'a plus aucun sens.

Mondialisation financière : les capitaux passent d'une main à l'autre, d'un pays à l'autre avec un simple clic de souris. Wall Street dirige les danses, les bourses flambent ou s'écroulent sans aucune raison apparente.

Pourquoi ?

Les pays industrialisés produisent beaucoup plus que leur marché intérieur ne demande, il faut donc trouver de nouveaux marchés. En même temps, pour battre la concurrence, il faut réduire les coûts de production.

Comment ?

Pour cela, on installe des centres de production là où la main d'œuvre est bon marché (pays de l'Est ou Orient) : c'est ce qu'on appelle la délocalisation. Le travail enrichira ces nations en leur permettant d'évoluer et de devenir à leur tour un marché appétissant. La richesse produit une meilleure qualité de vie et affine la sensibilité des peuples et des gouvernements : on est plus sensible aux droits civils, à la protection des travailleurs et de l'environnement. On impose de nouvelles lois qui demandent plus d'investissements et font augmenter les prix : il faut alors chercher ailleurs de nouveaux « paradis » où on peut faire tout ce qu'on veut et comme on veut. La pauvreté est presque un avantage pour attirer les capitaux. Les États-Unis guident ce processus infernal ; avec les entreprises transnationales, ils imposent leurs lois, leurs règles, leur langue et leur mode de vie sur toute la planète.

À quel prix ?

L'accélération des échanges au niveau mondial ne peut pas être arrêtée, et il est vrai que la concurrence favorise le consommateur en faisant baisser les prix, mais le commerce sauvage, gouverné par la seule loi du profit, augmente les inégalités ; il faut donc imposer des règles pour atténuer les déséquilibres.

Avec le progrès technique, seuls les travailleurs spécialisés ont un avenir professionnel, pour les autres c'est le chômage et la pauvreté.

Le marché de Sokoto au Nigeria.

Une rue commerçante à Bordeaux.

Un marché en Bolivie.

Le monde n'est pas une marchandise !

C'est le slogan des anti-mondialisation français, un mouvement qui fait des adeptes un peu partout dans le monde. Ils demandent plus d'attention au facteur humain : il faut garantir un travail et une dignité humaine à toutes les classes sociales et dans tous les pays. Sur le plan économique, il faut protéger l'autonomie des pays faibles en empêchant que les pays riches imposent des lois sur la seule base de leur profit. « Le commerce équitable » essaie de créer un réseau de commercialisation de produits du tiers monde qui ne soit pas géré par les multinationales.

José Bové, leader du mouvement français anti-mondialisation.

[Lire et comprendre]

1. Qu'est-ce que le « village global » ?
2. Quand est-ce qu'il est né ?
3. Qu'est-ce qui l'a relancé ?
4. Pourquoi faut-il parler de mondialisation au pluriel ?
5. Pourquoi l'économie se mondialise ?
6. Comment se réalise cette mondialisation ?
7. Quels sont les avantages et les inconvénients ?
8. Quelles sont les revendications des anti-mondialisation ?

[Des mots pour le dire]

Voici quelques sigles d'organismes opérant au niveau mondial. Qui sont-ils et à quoi servent-ils ?

1. Qu'est-ce que le FMI ?
   a. Fonds Monétaire International.
   b. Foire Marchande Internationale.
   c. Filière Mondiale de l'Industrie.
2. Quelle est sa mission ?
   a. Réglementer la production industrielle au niveau mondial.
   b. Assurer la stabilité économique dans le monde.
   c. Organiser des expositions à travers le monde.
3. Qu'est-ce que l'OCDE ?
   a. Organisme Culturel de Développement Européen.
   b. Organisation de Coopération et de Développement Économique.
   c. Organisation Commerciale des Économies Avancées.
4. Quelle est sa mission ?
   a. Harmoniser la coopération entre les pays développés.
   b. Établir l'équilibre des échanges avec le tiers monde.
   c. Réorganiser l'économie des pays sous-développés.
5. Qu'est-ce que l'OMC ?
   a. Organisation Mondiale pour la Croissance.
   b. Organisation Mondiale du Commerce.
   c. Organisme de Médiation Commerciale.
6. Quelle est sa mission ?
   a. Financer la croissance des pays pauvres.
   b. Former des négociateurs capables d'agir dans le monde entier.
   c. Négocier la disparition des barrières douanières pour favoriser le commerce.

Le siège de l'OMC à Genève, Suisse.

MONDIALISATION

Interventions & Débats

WLADIMIR ANDREFF
DANIEL BACHET
CHRISTIAN BARRÈRE
GÉRARD DE BERNIS
PAUL BOCCARA
SUZANNE DE BRUNHOFF
MICHEL HUSSON
JEAN-LOUIS LEVET
BERNADETTE MADEUF
CHARLES OMAN
PHILIPPE ZARIFIAN

Marx

[Et vous ?]

– Donnez votre définition de la mondialisation. Qu'est-ce qui la favorise principalement ?
– À votre avis, la mondialisation est un fait positif ou négatif ? Pourquoi ?
– Que savez-vous du mouvement anti-mondialisation ? Existe-t-il dans votre pays ? Partagez-vous ses revendications ? Pourquoi ?

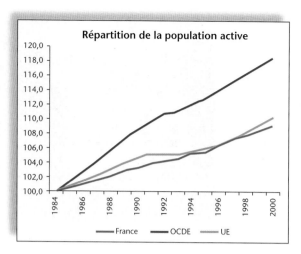

Répartition de la population active

France — OCDE — UE

À chacun son problème

La France est depuis toujours une terre d'accueil. Des raisons économiques et politiques ont poussé de nombreux étrangers à s'y établir. Des problèmes difficiles restent à résoudre, comme du reste dans d'autres pays occidentaux : crise économique, chômage, intégration sociale des immigrés, qualité de la vie, sauvegarde de l'environnement, richesse ou pauvreté, drogue, etc.

L'univers des jeunes, toujours en ébullition, toujours inquiet, bouge plus que les autres, à la recherche de son avenir. Mais lequel ?

La brusque augmentation du prix du pétrole en 1973 a marqué le début de la crise économique. Le gouvernement français a cherché des sources alternatives et a développé les centrales nucléaires. Pour produire davantage et moins cher, l'industrie fait appel à de nouvelles technologies. La demande de main d'œuvre se réduit et le chômage augmente.

En un quart de siècle le nombre de chômeurs en France est passé de 700 000 à plus de 3 millions. À qui la faute ? Au progrès technologique ? À la démographie et aux comportements ? La population active a augmenté, le travail féminin surtout s'est développé et la plupart des femmes de 25-50 ans ne sont plus des femmes au foyer. La colère des minorités marginalisées, l'insatisfaction, la protestation, la délinquance, la violence liée à la pauvreté et à la drogue sont les plaies de notre société.

[Lire et comprendre]

Dites si c'est vrai ou faux.

	V	F
1. La France est un pays multiracial où la présence étrangère est importante.	☐	☐
2. Elle assimile facilement tous les nouveaux arrivés sans aucun problème.	☐	☐
3. La crise économique a provoqué l'augmentation du prix du pétrole.	☐	☐
4. Les technologies avancées font progresser la demande de main-d'œuvre.	☐	☐
5. Les minorités qui se sentent marginalisées réagissent avec violence.	☐	☐

[Des mots pour le dire]

1. Quand le travail manque on parle

2. L'énergie nucléaire se produit à partir

3. La conséquence du choc pétrolier est

4. Ceux qui ne sont pas intégrés dans la société sont

5. L'aversion et le mépris pour les étrangers sont à l'origine

6. L'augmentation injustifiée des prix provoque

a. des marginaux.

b. la flambée des prix.

c. de chômage.

d. du racisme et de la xénophobie.

e. l'inflation.

f. de l'uranium.

[Et vous ?]

– La société dans laquelle vous vivez est-elle multiraciale ? Quelles ethnies y sont représentées ?

– Quels sont les avantages et les inconvénients de l'énergie nucléaire ?

– Si vous deviez citer les 4 problèmes principaux qui affligent votre société, lesquels choisiriez-vous ?

... L' immigration

Sur 60 millions d'habitants, 4,8 millions (soit 8% de la population totale) sont des résidents étrangers. Arrivés par vagues successives dans les années 30, 40 et 60, ils sont en partie devenus français par intégration automatique. Depuis les années 50, les immigrants européens (Portugais, Italiens, Espagnols) diminuent, mais le flux des Maghrébins (Algériens, Tunisiens et Marocains) dont l'intégration est difficile, augmente : les modes de vie dérivés des préceptes de l'Islam coexistent mal avec la société française, laïque et moderne, surtout dans les grandes concentrations urbaines.

La nouvelle vague d'immigration des pays de l'Est aggrave la situation. Les gens qui quittent leur pays sont en général les moins formés et les plus désespérés ; il est évident qu'ils n'offrent pas la meilleure image de leur pays d'origine.

[Lire et comprendre]

Retrouvez dans le texte les informations utiles pour remplir la fiche suivante.

1. Population totale ....
2. Population immigrée .... en % ....
3. Décennies de pic d'immigration ....
4. Pays d'origine des immigrés ....
5. Zones plus sensibles ....

[Et vous ?]

– Y a-t-il une forte présence d'immigrés dans votre pays ? Quel genre de travail exercent-ils ?
– Sont-ils intégrés ou marginalisés ? Essayez de décrire l'attitude de la population locale devant la présence des étrangers.

À l'école comment ?

En France, ce sont les élèves qui se déplacent pour rejoindre les professeurs qui les attendent dans les salles réservées à chaque discipline. Les élèves d'une section et d'une classe ne suivent pas tous les mêmes cours.

Les cours se déroulent le matin et l'après-midi. Entre les deux, les élèves mangent à la cantine ou dans les cafés voisins. L'emploi du temps peut comprendre des heures creuses et les journées n'ont pas toutes le même nombre d'heures de cours. Le mercredi et le samedi après-midi sont libres et les vacances sont fréquentes.

Jetez un coup d'œil au calendrier scolaire : rentrée début septembre, dix jours de vacances à la Toussaint, deux semaines à Noël, deux en février, deux en avril, plus quelques fêtes civiles et religieuses. Fin juin, conclusion de l'année scolaire.

Calendrier des vacances scolaires 2003-2004

	Rentrée	Toussaint	Noël	Hiver	Printemps	Début d'été
Zone A	02.09.03	du 22.10.03 au 03.11.03	du 20.12.03 au 05.01.04	du 07.02.04 au 23.02.04	du 03.04.04 au 19.04.04	30.06.04
Zone B	02.09.03	du 22.10.03 au 03.11.03	du 20.12.03 au 05.01.04	du 21.02.04 au 08.03.04	du 17.04.04 au 03.05.04	30.06.04
Zone C	02.09.03	du 22.10.03 au 03.11.03	du 20.12.03 au 05.01.04	du 14.02.04 au 01.03.04	du 10.04.04 au 26.04.04	30.06.04

Zone A : Caen, Clermont-Ferrand, Grenoble, Lyon, Montpellier, Nancy-Metz, Nantes, Rennes, Toulouse.
Zone B : Aix-Marseille, Amiens, Besançon, Dijon, Lille, Limoges, Nice, Orléans-Tours-Poitiers, Reims, Rouen, Strasbourg.
Zone C : Bordeaux, Créteil, Paris, Versailles.

[Lire et comprendre]

Remplissez la fiche avec les données relatives à l'organisation scolaire en France et dans votre pays. Faites ensuite vos réflexions.

	en France	dans votre pays
1. durée de l'année scolaire	....	....
2. vacances pendant l'année	....	....
3. vacances d'été	....	....
4. qui se déplace ?	....	....
5. emploi du temps	....	....
6. jours de repos hebdomadaire	....	....
7. repas	....	....

L'école est-elle vraiment utile ?

Jusque dans les années 70, elle faisait l'objet d'un respect inconditionnel. Mais la révolte estudiantine de Mai 68 a tout changé. L'enseignement s'est démocratisé et, inévitablement, sa qualité a baissé. Le concept de culture s'est étendu bien au-delà de ce qui s'apprend dans les livres.

L'école est alors devenue le passage obligé vers un travail socialement et économiquement reconnu ; la scolarité, obligatoire jusqu'à l'âge de 16 ans, se prolonge au-delà du lycée, dans les BTS (Brevet de Technicien Supérieur), à l'université ou dans les Grandes Écoles. Mais les connaissances évoluent si vite que l'école est souvent en retard, les entreprises doivent former leur personnel sur place, alors pourquoi se casser la tête ?

Parallèlement, la consommation est devenue presque le seul modèle de vie et ceci a bouleversé l'échelle des valeurs : l'objectif primaire n'est plus la connaissance mais la richesse matérielle ; il faut posséder des objets et avoir suffisamment d'argent pour ne se priver de rien. Pas besoin d'un bac ou d'une licence pour gagner de l'argent.

Internet met le savoir à la portée de tous, est-il vraiment utile d'obliger les jeunes à suivre une formation scolaire poussée ?

La façade de la Sorbonne.

[Lire et comprendre]

Mai 68.

Dites si les affirmations suivantes sont vraies ou fausses.

V   F

1. L'école a changé sous l'impulsion de la révolte de Mai 68. ☐ ☐
2. La culture n'est plus seulement dans les livres. ☐ ☐
3. L'école est devenue l'apanage d'une élite. ☐ ☐
4. Dans la nouvelle échelle de valeurs, être est plus important qu'avoir. ☐ ☐
5. La société de consommation impose une formation culturelle poussée. ☐ ☐
6. Les modèles culturels contemporains encouragent la connaissance. ☐ ☐
7. Les entreprises doivent s'occuper de la formation du personnel. ☐ ☐

[Et vous ?]

– Entre être et avoir, que privilégie la société dans laquelle vous vivez ? Quelle est votre opinion personnelle ?

– À votre avis, l'école est utile ou inutile ? Pourquoi ?

– Êtes-vous d'accord avec l'affirmation qu'Internet peut remplacer l'enseignement scolaire ?

L'ENA, École Nationale d'Administration.

La parole aux spécialistes de l'éducation

Malgré tous les problèmes et malgré la crise qu'elle traverse, l'école reste indispensable. Elle trie, vérifie et organise les connaissances sur la base de quelques critères fondamentaux qui sont la rigueur, la progression, l'exhaustivité. Dans le monde actuel, les informations nous viennent de partout mais dans le désordre et sans explication. L'information est souvent contradictoire et superficielle, elle déforme la réalité parce qu'elle ne donne qu'un point de vue, elle n'encourage pas la réflexion, la critique, l'approfondissement. L'école est là justement pour fournir les

outils culturels qui permettent d'organiser les informations pour mieux comprendre le monde et apprendre à agir pour le transformer. À partir de la maîtrise de la lecture et de la langue, en passant par l'analyse des mécanismes de l'histoire et de l'économie, pour arriver au sens de

Présent et passé dans l'architecture des établissements scolaires.

responsabilité et à la reconnaissance des valeurs sur lesquelles se fonde la société, l'école fournit les savoir-faire nécessaires dans tous les métiers (planifier, se donner des échéances, savoir les respecter, travailler en équipe, évaluer les résultats, affronter les problèmes…). Elle fournit aussi les compétences spécifiques à des secteurs professionnels. Bien entendu, cela n'est pas suffisant, mais c'est une base incontournable pour construire sa formation personnelle. Après, c'est à chacun de jouer ses cartes.

Une école maternelle et un lycée.

[Des mots pour le dire]

1. L'école organise les informations
   a. sans les déformer.
   b. selon un seul point de vue.
   c. selon une progression rigoureuse.
2. Que signifie « trier » les informations ?
   a. sélectionner.
   b. adapter.
   c. simplifier.
3. L'exhaustivité est la capacité de
   a. dire en peu de mots.
   b. dire tout le nécessaire.
   c. parler de manière compréhensible.

4. Les outils culturels sont
   a. la capacité d'analyse et l'esprit critique.
   b. les compétences spécifiques.
   c. les valeurs sociales.
5. Le savoir-faire est
   a. la politesse.
   b. la capacité de s'adapter.
   c. l'ensemble des compétences acquises.

L'école vue par les jeunes

a. 21% des jeunes pensent que son rôle est de transmettre une culture générale.

b. 25% affirment qu'elle doit enseigner les règles de la vie sociale.

c. 46% estiment que l'école sert d'abord à apprendre un métier.

d. 66% se déclarent satisfaits de l'état des locaux, mais souhaitent des améliorations.

e. 78% trouvent les cours intéressants mais seulement 27% les considèrent utiles.

f. 23% déclarent s'ennuyer.

g. 35% critiquent l'emploi du temps : de 8h à 18h au lycée avec beaucoup de trous.

h. 67% sont insatisfaits de la qualité de la cantine.

i. 85 % pensent que tout est captivant au lycée si on rencontre le prof idéal, quelqu'un de performant et à l'écoute !

[Et vous ?]

– Formulez les questions pour chacune des données ci-dessus, puis donnez votre réponse.

– Faites ensuite un petit sondage autour de vous, transformez les résultats en pourcentage et comparez-les avec les résultats de l'enquête faite auprès de vos camarades français.

....

....

....

....

....

....

....

....

....

La violence scolaire, un souci européen

La société est en crise, l'école aussi. La violence scolaire fait tache d'huile : racket, agressions contre les élèves et les professeurs, vols, intolérance, vandalisme, incivilité.

Le Sénat a publié un rapport sur la délinquance des jeunes qui accuse l'école : les actes délinquants commis par les mineurs ont presque doublé depuis les années 80 (177 017 mineurs mis en cause en 2001) ; une délinquance souvent peu grave mais qui exaspère la population. 32% des délits peu graves seraient commis par des adolescents dont les deux parents sont nés à l'étranger et qui se trouvent en situation d'échec scolaire.

En juin 2002, le quotidien *Le Monde* a publié les résultats d'une enquête selon laquelle 60% des Français estiment que l'école n'est plus capable de former les enfants.

Selon le gouvernement, l'école doit se réapproprier son rôle éducatif et socialisateur, prévenir l'illettrisme (dans certains établissements on trouve plus de 20 langues d'origine), diffuser la pratique et l'utilisation des TICE * et combattre la petite criminalité, si nécessaire, avec des sanctions pénales. L'Assemblée Nationale a donc approuvé une loi qui instaure des « sanctions éducatives » (6 mois de prison et 7 500 euros d'amende pour punir l'outrage à un enseignant ; suspension des allocations familiales quand un mineur ne respecte pas l'obligation scolaire). Les enfants qui commettent des crimes peuvent être punis à partir de l'âge de 10 ans.

Des mesures sévères pour une situation grave, toutefois elles ne font pas l'unanimité : « Enfermer n'est pas éduquer » affirment les critiques, et on se prépare à imposer aux coupables des travaux d'intérêt général.

* TICE = Technologies de l'Information et de la Communication pour l'Enseignement.

Le Palais de Justice à Paris.

[Lire et comprendre]

1. Le phénomène de la violence des mineurs est *en progression / en baisse*.

2. Les délits commis par des très jeunes sont généralement *peu / très* graves ; la population est *tolérante / exaspérée*.

3. Les coupables appartiennent *rarement / souvent* à des familles d'immigrés et ont un profit scolaire très *mauvais / médiocre*.

4. Les sondages prouvent *l'excès / le manque* de confiance des Français vis-à-vis de l'Éducation nationale.

5. Le Sénat confirme les *atouts / défaillances* du système.

6. Le gouvernement met au point des mesures pour *sanctionner / redresser* la situation : il y aura *moins / plus* de tolérance pour les baby-criminels.

7. Ces décisions *ont reçu un consensus unanime / ont fait l'objet de fortes critiques*.

[Et vous ?]

– La violence à l'école est une expérience qui appartient à votre vécu quotidien ?
– Racontez quelle est la situation dans votre établissement en répondant à ces questions et en justifiant votre réponse.

1. Vous garez tranquillement votre vélo ou scooter devant le lycée ?
2. Si vous laissez ou perdez quelque chose dans l'édifice, vous comptez le retrouver ?
3. Les vols sont-ils fréquents ? Si oui, quels objets sont les plus visés ?
4. Vous est-il arrivé d'être menacés ou obligés de faire ou de donner quelque chose contre votre volonté ?
5. Si oui, vous en avez parlé à quelqu'un ? Comment a-t-il réagi ?
6. L'administration a-t-elle été prévenue ?
7. Avez-vous assisté à des actes de vandalisme ou d'incivilité à l'intérieur ou à proximité de votre lycée ?
8. Comment avez-vous réagi ?
9. Dans ce cas, est-ce que les adultes interviennent ? Comment ?
10. Le conseil de discipline de votre établissement se montre sensible / tolérant / intransigeant ?
11. Quelle conséquence cela produit sur la vie de l'établissement ?

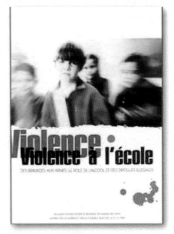

L'entrée d'un lycée.

24 L'amitié

[À l'écoute]

Écoutez, puis remplissez cette grille.

	Amour	Amitié
Comment naît ce sentiment ?		
Comment peut-on le définir ?		
Qu'est-ce qui le caractérise ?		
Comment évolue-t-il dans le temps ?		
De quelle manière se termine-t-il ?		
Qu'est-ce qu'on attend de l'autre ?		

[Des mots pour le dire]

Voici quelques phrases célèbres sur l'amitié : quel deuxième sens cachent-elles ?

Voulez-vous compter vos amis ? Demandez-leur de l'argent. (Alexandre Dumas fils)

Les amis font toujours plaisir ; si ce n'est pas quand ils arrivent, c'est quand ils partent. (Alphonse Karr)

Qui trouve un ami trouve un trésor. (dicton populaire)

L'amitié demande du retour. (dicton populaire)

Au besoin on connaît l'ami. (dicton populaire)

L'amitié rompue n'est jamais bien soudée. (dicton populaire)

Ami de plusieurs, ami de personne. (dicton populaire)

[Et vous ?]

– Quelles qualités cherchez-vous chez votre meilleur/e ami/e ? Les possédez-vous, à votre tour, pour vos amis ?

– « Les amis – dit-on – se reconnaissent dans les moments difficiles. » Racontez un épisode qui prouve que cette affirmation est juste.

– À votre avis, l'amitié entre garçons et filles, entre hommes et femmes, est-elle possible ?

– L'amour instaure un rapport exclusif qui vous éloigne parfois de vos amitiés. Est-ce vrai ? Est-ce inévitable ?

Ça fait mal

Mon père et ma mère n'arrêtent pas de me dire que j'ai de la chance d'avoir deux maisons, deux familles et donc deux fois plus d'amour. Je ne pouvais déjà pas les croire quand j'étais toute petite, d'autant moins aujourd'hui. Je me sens mal à l'aise chez mon père et j'éprouve le même sentiment quand je suis chez ma mère, même si je vis depuis toujours avec elle. Chacun de son côté, mes parents se sont refait une famille et ont eu d'autres enfants et moi, moi qui suis le fruit d'un amour qui n'existe plus, j'ai du mal à exister. Je ne peux pas dire que personne ne m'aime, ce serait injuste, mais je me sens de trop partout, un souvenir désagréable, un élément perturbateur d'un nouvel équilibre. Je ne veux pas pleurer sur mon sort, je sais que d'autres ont des problèmes plus graves, mais ...

Amélie

Personne ne me comprend, personne ne s'intéresse à moi, mes parents n'ont jamais le temps, alors pourquoi crier au scandale quand ils découvrent que je me roule un joint de temps en temps ? Qu'est-ce que ça peut leur faire ? Je fais comme tout le monde autour de moi, c'est quand même mieux que de se soûler de bière ou d'alcool ou de passer ses soirées à s'abrutir devant la télé !

Lionel

[Et vous ?]

Si vous deviez écrire un message à Amélie et Lionel, qu'est-ce que vous leur diriez ?
Composez de courts messages en respectant la consigne donnée.

Pour Amélie :

1. J'ai vécu la même expérience, c'est terrible… *(solidaire et désespéré)*
2. J'ai vécu la même expérience, maintenant je ne suis pas malheureuse… *(solidaire mais confiant)*
3. Les adultes sont des inconscients… *(très critique envers les adultes)*
4. Avant c'était l'enfer… *(propose une solution)*
5. Impossible de choisir entre les deux, je préfère vivre chez mes grands-parents… *(a trouvé un arrangement)*

Amélie

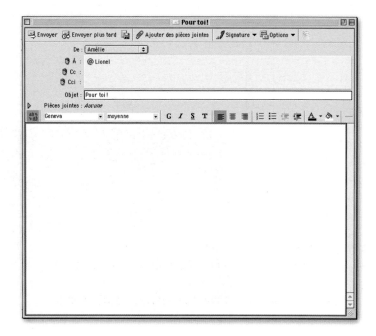

Pour Lionel :

1. Ce n'est pas la bonne solution… *(compréhensif mais sévère)*
2. L'amitié est une ressource infinie… *(propose une alternative)*
3. Ne te laisse pas fasciner par les fausses solutions… *(met en garde)*
4. C'est bête, ça ne sert à rien et ça te fait du mal… *(condamne)*
5. J'ai fait comme toi et je ne suis pas mécontent mais… *(solidaire mais avec quelques doutes)*

25 # La timidité, un malaise qui se soigne

[À l'écoute]

Choisissez la bonne solution.

1. L'anxiété excessive *hache / gâche / lâche* la vie.

2. Le malaise se manifeste devant *des adresses inconnues / des personnes opposées / des inconnus et des gens perçus comme supérieurs.*

3. La timidité se manifeste surtout *entre 15 et 20 ans / chez les 15-20 ans / pour 15-20 ans.*

4. Les changements survenus à l'adolescence *sont incontrôlables / vous font mieux percevoir vos défauts / exaspèrent la perception du défaut.*

5. Le timide préfère *s'effacer / critiquer et se taire / s'exposer.*

6. La timidité est parfois *un penchant évident / un penchant naturel / un enfant culpabilisé.*

7. D'une manière ou d'une autre, il faut *sortir de l'impasse / attendre le meilleur remède / réagir à la volonté de s'en sortir.*

8. La solution est dans *la psychothérapie / le sport, le théâtre, la maîtrise du corps / la négation de ses défauts.*

Quel(le) timide êtes-vous ?

Comment vivez-vous l'image que vous donnez de vous-même ?
Pour le savoir, répondez à ce test. Cela restera entre vous et vous...

1. **C'est la rentrée. Votre prof d'anglais demande à chacun de se présenter brièvement.**
   a. Vous énoncez juste vos nom, prénom et âge en vous excusant pour votre accent.
   b. En cherchant un peu vos mots, vous parvenez à parler plus ou moins clairement.
   c. Vous parlez en franglais (un mélange ridicule des deux langues), pour faire rire la classe.

2. **En plein essayage, vous entendez les vendeuses rire derrière le rideau de la cabine.**
   a. Vous vous rhabillez rapidement et quittez, honteux(se), le magasin.
   b. Vous leur signalez gentiment que vous les entendez.
   c. Vous leur demandez si vous pouvez profiter de leur bonne humeur.

3. **Confronter vos expériences amoureuses avec vos amis vous semble...**
   a. Risqué.
   b. Normal.
   c. Instructif.

4. **Sur la plage, vous passez votre temps...**
   a. À vous coller à votre serviette, caché(e) sous un parasol.
   b. À alterner baignades et bronzage suivant la chaleur ambiante.
   c. À jouer au « beach volley » paré(e) de vos lunettes de soleil et maillot dernier cri.

5. **L'élu(e) de votre cœur vous demande gentiment si vous n'avez pas un peu grossi.**
   a. Vous montez sur une balance pour vérifier.
   b. Vous lui retournez le compliment et décidez de vous mettre au régime.
   c. Vous lui demandez si ça lui plaît.

6. **Devoir trouver un job d'été pour financer vos projets d'études ou de voyages serait pour vous...**
   a. Une dure épreuve à affronter.
   b. Une bonne occasion pour approcher le monde du travail.
   c. L'opportunité de prouver ce que vous valez.

7. **Vous auriez pu le dire :**
   a. « La timidité est un défaut terrible qui masque toutes vos qualités », Patrick Timsit.
   b. « La timidité est une forme de politesse », Jacques Dutronc.
   c. « La timidité est la chose contre laquelle je lutte le plus », Charlotte Gainsbourg.

Réponses

Une majorité de A : Pourquoi le regard des autres vous obsède à ce point ? Peu sûr(e) de vous, trop sensible et souvent susceptible, vous avez tendance à vous identifier immédiatement à l'image que l'on vous renvoie de vous. Une remarque sur votre physique et vous maudissez votre corps. Une critique d'un proche et c'est la terre entière que vous n'osez plus affronter. Exercez-vous à comprendre ce qui ne va pas, puis à écouter et à exprimer vos besoins et vos sentiments. Vous constaterez que les autres vous préféreront tel(le) que vous êtes vraiment.

Une majorité de B : Vous êtes assez sûr(e) de vous-même ; ce que les autres pensent de vous peut vous aider à vous améliorer, mais en général ne vous met pas en crise. Vous avez une attitude positive devant la vie et savez en tirer profit. Votre compagnie est agréable parce que vous êtes équilibré(e) et, en général, de bonne humeur.

Une majorité de C : Décidément, vous prenez pour quelqu'un ! Votre confiance totale en vous-même et en vos capacités est parfois excessive : attention, on n'aime pas toujours les effronté(e)s ! Si vous dispensez des conseils aux timides, faites-le avec beaucoup de délicatesse. Votre attitude trop agressive devant la vie peut vous aliéner la sympathie des autres. Apprenez à écouter les autres, ils disent parfois des choses intéressantes !

Voici l'expérience de trois adolescents

Mathieu, 14 ans : « Lorsqu'on me regarde dans les yeux, je ne peux m'empêcher de baisser les miens et de rougir violemment. Si de plus c'est une fille qui me plaît, alors là, ça tourne à la catastrophe, je n'arrive même plus à articuler. C'est une véritable maladie. »

Annabelle, 16 ans : « La timidité est le pire des défauts. Il me semble avoir quelque chose d'intelligent à dire, mais souvent j'y renonce. Je sais déjà que j'aurais l'air d'une imbécile parce que je bafouille, je ne trouve pas les mots, je toussote et finalement je m'arrête les joues en feu. Mon grand frère se moque de moi ; ça me tape sur les nerfs, alors je m'enferme dans ma chambre et je pleure. »

Eric, 15 ans : « Moi, j'ai vécu les mêmes expériences, c'était atroce. Puis un jour nous en avons parlé entre copains, ça m'a soulagé de voir combien de personnes partagent le même problème. On en a longuement discuté et Stéphane nous a donné plein de conseils : soigner son look, s'entraîner à parler de la pluie et du beau temps avec n'importe qui, prendre le temps de respirer, parler lentement… Il y a aussi des bouquins qui vous suggèrent toutes les astuces pour avoir confiance en soi. Vous ne le croirez pas mais la timidité, ça peut se vaincre. Il suffit de s'exercer et d'être persévérant. Et finalement, chez les filles, les timides suscitent un instinct de protection pas désagréable du tout ! »

[Lire et comprendre]

Retrouvez le personnage qui correspond aux indications suivantes.

1. 16 ans ....
2. Baisse les yeux dès qu'on lui adresse la parole ....
3. « La timidité est le pire des défauts » ....
4. « Je n'arrive plus à articuler » ....
5. A trouvé des astuces dans des livres ....
6. Bafouille et toussote ....
7. Une expérience atroce ....
8. Pleure enfermée dans sa chambre ....
9. Donne des conseils pour vaincre sa timidité ....
10. « Les timides suscitent un instinct de protection » ....
11. « Mon grand frère se moque de moi » ....
12. « Je ne peux m'empêcher de rougir violemment » ....

[Et vous ?]

– Êtes-vous timides ?
– Quelles sont les situations dans lesquelles votre malaise se manifeste davantage ?
– Comment se manifeste votre timidité ?
– Que faites-vous pour la combattre ?
– En avez-vous parlé à quelqu'un ?
– Quels conseils en avez-vous reçus ?

[Des images ? Parlons-en !]

Trouvez, pour chaque image, la définition correcte.

1. Le siège de la BCE à Francfort.
2. La marée noire.
3. Le siège de l'ONU à Manhattan, New York.
4. Un puits de pétrole.
5. La Bibliothèque Nationale François-Mitterrand à Paris.
6. Un tremblement de terre
7. Le logo d'une association humanitaire.
8. Un incendie de forêt.
9. Un SDF (sans domicile fixe).
10. Une banlieue dégradée.
11. Une inondation.

MEDECINS SANS FRONTIERES

paris.msf.org

Travaillons ensemble

Travail par groupes

Vous allez organiser une sorte de journal télévisé pour présenter les thèmes traités dans ce dossier. Il faut prévoir un groupe pour chaque thème.

Étape 1

Chaque groupe désigne un journaliste, un intervieweur, un interviewé.

Le journaliste lira le texte d'introduction-présentation du sujet.

L'intervieweur posera des questions aux élèves qui joueront le rôle d'un expert ou de l'homme de la rue.

Étape 2

Chaque groupe élabore le texte de présentation en s'inspirant de l'article proposé dans le dossier et en utilisant des journaux ou ses propres connaissances.

Il faudra ensuite élaborer les questions pour l'interview et prévoir les réponses.

Étape 3

Mise en scène : elle devra être réaliste. Chaque élève devra savoir exactement ce qu'il doit dire ; dans les interviews, même les hésitations doivent être étudiées pour être proches de la réalité. Répétez au moins deux fois pour être sûrs du résultat.

Étape 4

Jouez la scène comme dans un vrai journal télévisé.